JN024541

NHK出版

音声DL BOOK

これからはじめる
フランス語入門

大塚 陽子
Otsuka Yoko

NHK出版

はじめに

フランス語を習得するために必要なことはなんでしょうか。フランス語の音をよく聞いて慣れ、声に出して練習をすること、単語や表現を覚え、正しいつづりで書けるようにすること、実際に誰かとやりとりをして習った表現を使ってみること…… いろいろとありますが、文法を理解することもとても大切です。文法、と聞くと、ややこしい！ めんどうだ！ と思われるかもしれません。けれども文法は文を作ったり文の意味を理解したりするためのいわば土台です。土台が頑丈であればたくさんのものを高く積み上げることができますね。語学学習も同じです。文法の知識はみなさんが取り組んでいくフランス語の力を高く伸ばすための大事な底力になります。

この本は、これからフランス語を学ぼうと思っておられる方や学び始めて間もない方のために作りました。実際のコミュニケーションで必要となる基本的な表現を、文法の基礎固めをしながら学習することができます。20の課それぞれに、日常生活から切り取ったディアログ(やりとり)が用意されていますから、まずはこのディアログの表現を覚えてください。そのために音声を繰り返し聞き、発音練習をすることをおすすめします。さらにこれらの表現を実際のコミュニケーションで応用できるように、文法事項について学びましょう。学習内容の理解度を確認するために練習問題にも挑戦してください。

文法に関しては、入門から初級レベルで必要とされる項目のほぼ全てを含めました。無理なく学べるよう、理解しやすいものから複雑なものへと順に進みます。理解の妨げにならぬよう例文には基本語彙を繰り返し用いました。わかりやすい解説を心がけていますが、今後中級やその先の学びへと進まれる方を念頭に置いて、あえて文法用語も使い、こうした用語の意味を把握できるよう巻末で説明しています。また文法をより体系的に学ぶことができるように文法補足コーナーを、さらに実際のコミュニケーションで役立てられるような基本語彙のリストも収めています。

平和な世の中であれば、言語はいつでもどこでも、そしていつまでも学ぶことができます。今、みなさんの学びの対象はフランス語ですが、この学習で得る文法の知識は、他のヨーロッパ言語（特にスペイン語やポルトガル語、イタリア語など）を学ぶ際に十分役立てることができます。文法は、フランス語力を高く伸ばすためのものだけではなく、さまざまな言語を学ぶための支えとなるはずです。みなさんの言語の学びが広がりを持ち、長く続くものとなることを心から願っています。

最後に、丁寧に編集作業にあたってくださった安倍まり子さん、昆野あづささん、徳田夏子さんをはじめNHK出版語学編集部のみなさん、いつも貴重なご意見をくださる佐藤クリスティーヌさん、そしてフランス語のABCを初めて口にした日からこの本を出版できる今日に至るまで、私の長いフランス語の学びに温かく寄り添ってくださった多くの方々に、この場をお借りし心からお礼を申し上げます。

大塚　陽子

目次

付録

▶ **略語凡例**

名 名詞　男 男性名詞　女 女性名詞　代 代名詞　固有 固有名詞
動 動詞　形 形容詞　副 副詞　前 前置詞　接 接続詞
間 間投詞　冠 冠詞　数 数詞　複 複数形

前 動詞の前半部（語幹）　後 動詞の後半部（語尾）

＊本書でのつづり字は、2016年度にフランス教育省が採用した「新つづり字」ではなく旧来のものに従っています。

この本の使い方

この本は20課から構成されています。日常生活で使われるディアログ(やりとり)の発音練習をしながら、入門～初級レベルで必要な文法項目を理解しやすい順番で学びます。

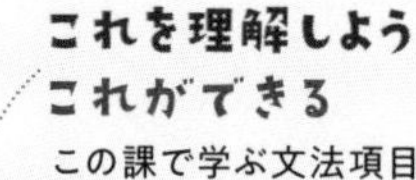

これを理解しよう
これができる

この課で学ぶ文法項目と、どんなことができるようになるかを示しています。

ディアログで学ぼう

実際のコミュニケーションで使われるフレーズです。音声を繰り返し聞いて覚えましょう。

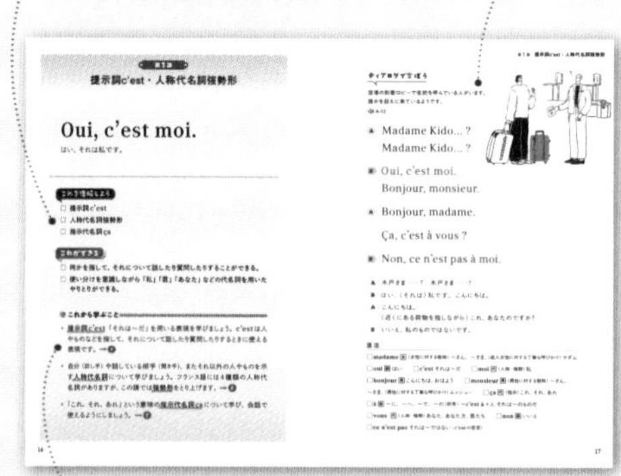

第1課
提示詞c'est・人称代名詞強勢形

Oui, c'est moi.
はい、それは私です。

ディアログで学ぼう

Madame Kido... ? Madame Kido... ?
Oui, c'est moi. Bonjour, monsieur.
Bonjour, madame. Ça, c'est à vous ?
Non, ce n'est pas à moi.

この課のポイント

「この課のポイント」の内容を確認すると、ディアログをより深く理解することができます。

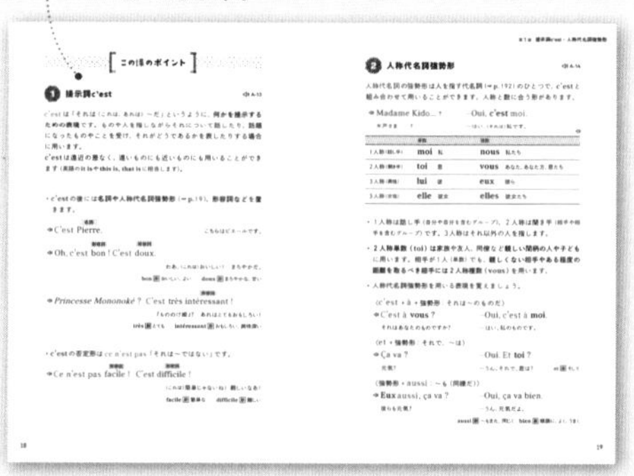

この課のポイント

1 提示詞c'est

C'est Pierre.
Oh, c'est bon ! C'est doux.
Princesse Mononoké ? C'est très intéressant !
Ce n'est pas facile ! C'est difficile !

2 人称代名詞強勢形

Madame Kido... ? — Oui, c'est moi.

	単数		複数	
1人称	moi	私	nous	私たち
2人称	toi	君	vous	あなた、あなた方、君たち
3人称(男性)	lui	彼	eux	彼ら
3人称(女性)	elle	彼女	elles	彼女たち

C'est à vous ? — Oui, c'est à moi.
Ça va ? — Oui. Et toi ?
Eux aussi, ça va ? — Oui, ça va bien.

✲これから学ぶこと

「この課のポイント」の内容を確認してからディアログに進みましょう。

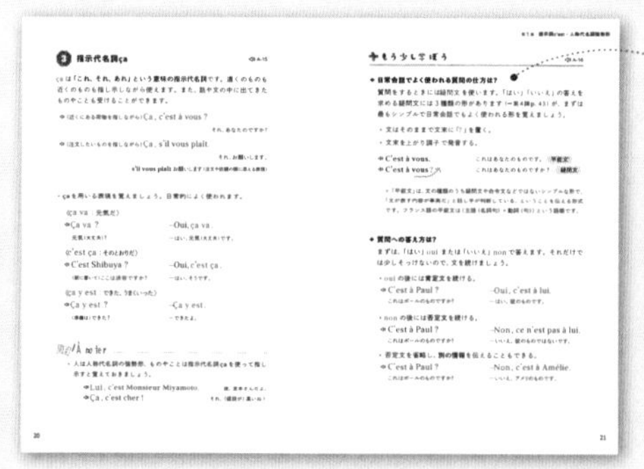

3 指示代名詞ça

Ça, c'est à vous ?
Ça, s'il vous plaît.
Ça va ? — Oui, ça va.
C'est Shibuya ? — Oui, c'est ça.
Ça y est ? — Ça y est.
Lui, c'est Monsieur Miyamoto.
Ça, c'est cher !

もう少し学ぼう

C'est à vous.
C'est à vous ?
C'est à Paul ? — Oui, c'est à lui.
C'est à Paul ? — Non, ce n'est pas à lui.
C'est à Paul ? — Non, c'est à Amélie.

✚もう少し学ぼう

この課のポイントに関連した文法知識や関連表現を解説します。

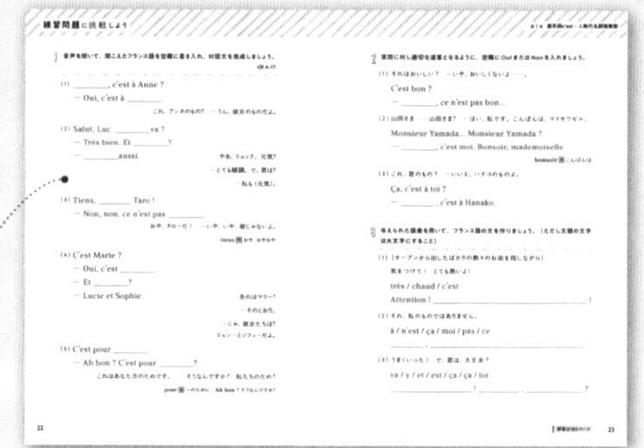

練習問題に挑戦しよう

(1) ＿＿, c'est à Anne ? — Oui, c'est à ＿＿.
(2) Salut, Luc. ＿＿ va ? — Très bien. Et ＿＿ ? — ＿＿ aussi.
(3) Tiens, ＿＿ Taro ! — Non, non, ce n'est pas ＿＿.
(4) C'est Marie ? — Oui, c'est ＿＿. — Et ＿＿ ? — Lucie et Sophie.
(5) C'est pour ＿＿. — Ah bon ? C'est pour ＿＿ ?

C'est bon ? — ＿＿, ce n'est pas bon.
Monsieur Yamada... Monsieur Yamada ? — ＿＿, c'est moi. Bonsoir, mademoiselle.
Ça, c'est à toi ? — ＿＿, c'est à Hanako.

très / chaud / c'est
Attention ! ＿＿ !
à / n'est / ça / moi / pas / ce
va / y / et / est / ça / ça / toi

練習問題に挑戦しよう

ここまでの内容が十分に理解できたか確認しましょう。

音声ダウンロードについて

本書で🔈マークがついているフランス語の音声をNHK出版サイトからダウンロードできます。

まずはこちらへアクセス!

https://nhktext.jp/db-french

NHK出版サイトで該当書名を検索して探すこともできます。

本書音声のパスコード 4272fpcd

- スマホやタブレットでは、NHK出版が提供する無料の音声再生アプリ「語学プレーヤー」でご利用ください。
- パソコンでは、mp3形式の音声ファイルがダウンロードできます。
- 複数の端末にダウンロードしてご利用いただけます。

◆ NHK出版サイトの会員登録が必要です。詳しいご利用方法やご利用規約は上記Webサイトをご覧ください。

◆ ご提供方法やサービス内容、ご利用可能期間は変更する場合があります。あらかじめご了承ください。

お問い合わせ窓口

NHK出版 デジタルサポートセンター

Tel. 0570-008-559 (直通: 03-3534-2356)

受付時間 10:00-17:30 (年末年始・小社指定日を除く)

ダウンロードやアプリのご利用方法など、購入後のお取り扱いに関するサポートを承ります。

＊音声録音では、リエゾン(➡p.15)は「必ずすべきもの」と「するのが一般的なもの」のみに限って行っています。リエゾンによって語の本来の発音がわかりにくくなるものについては行っていません。

アルファベとつづり字記号

Alphabet　A-02

フランス語でアルファベットのことを「**アルファベ**」と言います。英語と同じ**26文字**ですが、**発音は異なります**。**H, h**はアルファベとしては発音しますが、単語の中に置かれた際には発音しません。

＊H, hは発音上の注意が必要になる文字なので、この表の目立つ位置に置いています。

母音字	子音字					
A a [a]		**B b** [be]	**C c** [se]	**D d** [de]		
E e [ə]		**F f** [ɛf]	**G g** [ʒe]			
	H h [aʃ]					
I i [i]		**J j** [ʒi]	**K k** [ka]	**L l** [ɛl]	**M m** [ɛm]	**N n** [ɛn]
O o [o]		**P p** [pe]	**Q q** [ky]	**R r** [ɛr]	**S s** [ɛs]	**T t** [te]
U u [y]		**V v** [ve]	**W w** [dubləve]	**X x** [iks]		
Y y [igrɛk]		**Z z** [zɛd]				

つづり字記号のついた文字と合わせ字　A-03

caféや**Noël**といった単語を街中で目にされたことがあるのではないでしょうか？ **café**は「コーヒー、カフェ」、**Noël**は「クリスマス」という意味のフランス語ですが、見慣れない**é**や**ë**といった文字が含まれています。フランス語の文字は既に見た上記のアルファベ26文字ですが、いくつかの文字には「**つづり字記号**」と呼ばれる記号がつくのです。また２つの文字が合体する「**合わせ字**」もあります。これらの記号や合わせ字を見てみましょう。

つづり字記号

- **文字の上につける記号**（母音字の上にしかつけない。大文字では省略可）

アクサン・テギュ
accent aigu
記号 **É é**
例 **café** コーヒー、カフェ

アクサン・グラーヴ
accent grave
記号 **À à È è Ù ù**
例 **là** そこ **bière** ビール **où** どこに

アクサン・スィルコンフレクス
accent circonflexe
記号 **Â â Ê ê Î î Ô ô Û û**
例 **théâtre** 劇場 **crêpe** クレープ
île 島 **hôtel** ホテル **flûte** フルート

トレマ
tréma
記号 **Ë ë Ï ï**
例 **Noël** クリスマス **bonsaï** 盆栽（元は日本語）

- **文字の下につける記号**（1種類のみ。cの下につける）

セディーユ
cédille
記号 **Ç ç**
例 **leçon** レッスン、課

- **エリズィオン**（➡p.15）**で文字を省略したときにつける記号**

アポストロフ
apostrophe
記号 **’**
例 **coup d’état** クーデター（deのeが省略）

- **単語と単語を結びつける記号（ハイフン）**

トレ・デュニオン
trait d’union
記号 **-**
例 **pique-nique** ピクニック

合わせ字

- **よく使うものは1種類。oとeの組み合わせです。**

合わせオ・ウ
O-E entrelacé
記号 **Œ œ**
例 **hors d’œuvre** オードブル

つづり字記号と発音

- **é**は[e]（口を左右に引いて「エ」）、**è, ê, ë**は[ɛ]（口を上下にやや広めに開いて「エ」）と発音します（ごくまれに例外あり）。
- **a, i, u, o**はつづり字記号がついても発音はほぼ変わりません。
- トレマは隣り合った母音字が別々に発音されることを意味する記号です。
- **ç**は[s]（ス）と発音します。たとえば、**ça**「それ」は[**sa**]（サ）です。
- **o**と**e**が並んでも合わせ字の**œ**にならない場合もあります。

発音と読み方

フランス語は英語と同じ文字（アルファベ）を用いますが、フランス語のつづりと発音の間には英語とは異なるきまりがあります。少しずつ覚えましょう。

＊発音の助けになるように、一部、その音に近いカタカナで読み方を示しています。しかしフランス語には日本語にない音も多くありますので、本コーナーの音声を聞いて基本的な発音のきまりを音で覚えるようにしましょう。なお、鼻母音の発音については、（オン）などのように上付きのンを用いて示しています。

1 | まずはこの3つを覚えよう！ A-04

❶ hは発音しない。

hôtel ホテル　**thé** 茶　**harpe**（hは有音）ハープ

＊実はhには「無音」と「有音」の2種類があります。どちらも発音しませんが、「有音」のhの場合は「音がある」と見なしエリズィオン、リエゾン、アンシェヌマンをしません（➡p.15）。

❷ 語末の子音字は発音しない。

concours コンクール　**gourmet** グルメ　**deux** 2　**nez** 鼻

＊ただし、c, f, l, rは発音する場合が多く、qは発音します。

sac バッグ　**chef** シェフ　**animal** 動物　**bar** バー

coq おんどり

❸ rは英語にも日本語にもないかすれた独特の音。

rose バラ　**Paris** パリ　**radio** ラジオ　**gourmet** グルメ

＊舌先は巻かず、動かさず、下の歯茎の裏側につけたまま、舌の奥と喉仏の間を震わせるようにして音を出してみましょう。うがいのときに出るような音です。練習すれば必ず出るようになります。

2 | 母音字が1つの場合（単母音字） A-05

アルファベと同じ発音。ただしeは注意！

❶ a à â [a]（ア）　**art** アート　**à la carte** アラカルト　**âge** 年齢

❷ i î ï [i]（イ）　**silence** 沈黙　**île** 島

❸ u û [y]（ュ）　**bus** バス　**flûte** フルート

❹ o ô [o] [ɔ]（オ） **gomme** 消しゴム **hôpital** 病院

❺ e [ə]（ウ） **cerise** サクランボ **menu** メニュー

＊特に語末のeを「エ」と発音しないように気をつけましょう！
[ə]（ウ）と発音するか無音です。
je 私は **potage** ポタージュ **France** フランス **économie** 経済

＊注意！ eを「エ」と発音することもあります。
e＋語末の子音字 [e] [ɛ]（エ）
et そして **nez** 鼻 **atelier** アトリエ

e＋2つの子音字 [e] [ɛ]（エ）※一部例外もあり
merci ありがとう **lettre** 手紙

＊つづり字記号がつけば[e] [ɛ]（エ）と発音します。
pâté パテ **saké** 日本酒（元は日本語）

アルファベの発音の始まり（最初）の音

❻ y [i]（イ） **type** タイプ **mystère** 神秘

3 | 母音字が組み合わされている場合（複母音字） A-06

このルールを覚えさえすれば読むのが楽になる！

❶ ai ei [ɛ]（エ） **lait** 牛乳 **Seine** セーヌ（川）

❷ au eau [o] [ɔ]（オ） **sauce** ソース **beau** 美しい

❸ ou [u]（口を尖らせたウ） **tour** 一周 **chou** キャベツ

❹ eu œu [ø] [œ]（口を左右に引いたウ） **bleu** 青い **œuf** 卵

❺ oi [wa]（ワ） **moi** 私 **oiseau** 鳥

4 | 母音字＋n、母音字＋m、ian, ien（鼻母音） A-07

鼻母音をうまく発音できると、よりフランス語らしく聞こえる！

＊口も舌も動かさないで息を鼻から抜くようにして発音します。例えば、long「長い」は、口を丸く突き出しながら「ロ」と言い、口を閉じないまま「ン」というつもりで息を鼻の方にも通すようにします。

❶ **on om** **bonbon** キャンディー **nom** 名前
[ɔ̃]（口を丸く突き出して**オ**ン）

❷ **an am en em** **langue** 言語 **jambon** ハム
[ɑ̃]（口を縦長に開けて**ア**ン）
enveloppe 封筒 **empereur** 皇帝

❸ **in im yn ym ain aim ein eim** **vin** ワイン **impossible** 不可能な
[ɛ̃]（口を左右に引いて**ア**ン）
symbole シンボル **train** 列車
peinture 絵画

❹ **un um** **un** 1 **parfum** 香水
[œ̃]（口を左右に引いて**ア**ン）

＊注意！ これらの組み合わせの後に母音字があると、**n**や**m**が次の母音字と合体して「ナ行」や「マ行」の音を作り出すため鼻母音にはなりません。

un [œ̃]（**ア**ン） 1（男性形） **une** [yn]（**ユヌ**） 1（女性形）

nom [nɔ̃]（**ノ**ン） 名前 **nominé** [nɔmine]（**ノミネ**） ノミネートされた人（作品）

❺ **ian** [jɑ̃]（**イヨ**ンと聞こえる**イア**ン） **étudiant** 学生
ien [jɛ̃]（**イヤ**ンと聞こえる**イア**ン） **bien** よい

5 | 発音に注意が必要なつづり

A-08

❶ **ch** [ʃ]（**シュ**） **chocolat** チョコレート **Chanel** シャネル
※チという音にはならない

❷ **gn** [ɲ]（**ニュ**） **campagne** 田舎 **signal** シグナル、合図
※グという音にはならない

❸ **il ill** [(i)j]（ィ**ユ**） **soleil** 太陽 **famille** 家族
たまに [il]（**イル**）
ville（**ヴィ**ル） 街

❹ **s** 語頭のs [s]（**ス**） **soupe** スープ **style** スタイル

母音字にはさまれたs [z]（**ズ**） **saison** 季節 **musique** 音楽

エリズィオン・リエゾン・アンシェヌマン

フランス語には、語と語がつながるように発音されるきまりが3つあります。

1 | エリズィオン　A-09

「これは」という意味のceや「私は」という意味のje、「何」という意味のqueなど、アルファベ2文字、ないしは3文字で形成されている一部の語では、後に母音字または無音のhから始まる語が続くと、語末の母音字が消えてアポストロフ「'」になります。

例 Qu'est-ce que c'est ?　あれは何ですか？
Qu' ← Que　c' ← ce

C'est l'Arc de Triomphe.　あれは凱旋門です。
C' ← Ce　l' ← le

エリズィオンするのは次の11の語のみです。

ce　de　je　le　la　me　ne　se　te
que（と **que** を語末に含む語。**lorsque, puisque** など）
si（後に **il** と **ils** が続くときのみ。**s'il, s'ils**）

2 | リエゾン　A-10

フランス語には、語末の子音字を発音しない語が多くあります。こうした発音しない語末の子音字を、後に続く語の語頭の母音とつなげて発音することがあります。これをリエゾンと言います。（‿の印をつけています）

例 un‿objet ➡［アノブジェ］　un［アン］＋objet［オブジェ］：物体

les‿idées ➡［レズィデ］　les［レ］＋idées［イデ］：考え

Vous‿habitez où ? ➡［ヴザビテウ］

vous［ヴ］＋habitez［アビテ］＋où［ウ］：あなたはどこに住んでいますか？

3 | アンシェヌマン　A-11

語末の子音を、後に続く語の語頭の母音とつなげて発音することをアンシェヌマンと言います。（⌒の印をつけています）

例 cet⌒ami ➡［セタミ］　cet［セットゥ］＋ami［アミ］：その友人

Il⌒a cinq⌒ans. ➡［イラサンカン］

Il［イル］＋a［ア］＋cinq［サンク］＋ans［アン］：彼は5歳です。

第1課

提示詞c'est・人称代名詞強勢形

Oui, c'est moi.

はい、それは私です。

これを理解しよう

- □ 提示詞c'est
- □ 人称代名詞強勢形
- □ 指示代名詞ça

これができる

- □ 何かを指して、それについて話したり質問したりすることができる。
- □ 使い分けを意識しながら「私」「君」「あなた」などの代名詞を用いたやりとりができる。

✵これから学ぶこと

- **提示詞c'est**「それは〜だ」を用いる表現を学びましょう。c'estは人やものなどを指して、それについて話したり質問したりするときに使える表現です。→ 1
- 自分（話し手）や話している相手（聞き手）、またそれ以外の人やものを示す**人称代名詞**について学びましょう。フランス語には４種類の人称代名詞がありますが、この課では**強勢形**をとり上げます。→ 2
- 「これ、それ、あれ」という意味の**指示代名詞ça**について学び、会話で使えるようにしましょう。→ 3

ディアログで学ぼう

空港の到着ロビーで名前を呼んでいる人がいます。
誰かを迎えに来ているようです。

A-12

A Madame Kido... ?
Madame Kido... ?

B **Oui, c'est moi.**
Bonjour, monsieur.

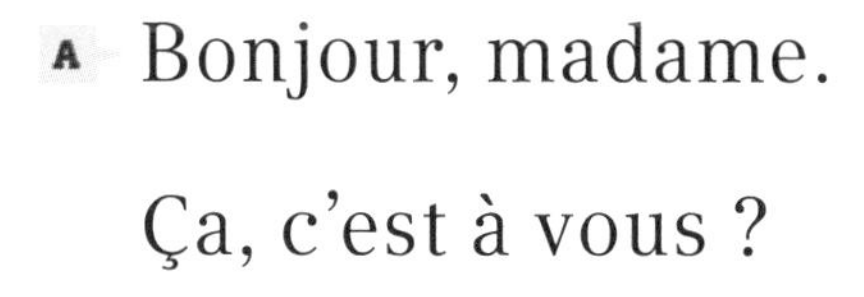

A Bonjour, madame.

Ça, c'est à vous ?

B Non, ce n'est pas à moi.

A：木戸さま……？　木戸さま……？
B：はい、（それは）私です。こんにちは。
A：こんにちは。
（近くにある荷物を指しながら）これ、あなたのですか?
B：いいえ、私のものではないです。

語注

□**madame** 女（女性に対する敬称）～さん、～さま、（成人女性に対する丁寧な呼びかけ）マダム
□**oui** 副 はい　□**c'est** それは～だ　□**moi** 代（人称・強勢）私
□**bonjour** 男 こんにちは、おはよう　□**monsieur** 男（男性に対する敬称）～さん、～さま、（男性に対する丁寧な呼びかけ）ムッシュー　□**ça** 代（指示）これ、それ、あれ
□**à** 前 ～に、～へ、～で、～の（所有）→ **c'est à** ＋人 それは～のものだ
□**vous** 代（人称・強勢）あなた、あなた方、君たち　□**non** 副 いいえ
□**ce n'est pas** それは～ではない（**c'est**の否定）

この課のポイント

1 提示詞c'est

A-13

c'estは「それは（これは、あれは）～だ」というように、**何かを提示するための表現**です。ものや人を指しながらそれについて話したり、話題になったものやことを受け、それがどうであるかを表したりする場合に用います。
c'estは遠近の差なく、遠いものにも近いものにも用いることができます（英語の**it is**や**this is, that is**に相当します）。

- **c'est**の後には**名詞や人称代名詞強勢形**（➡p.19）、**形容詞など**を置きます。

C'est Pierre.（Pierre：名詞） こちらはピエールです。

Oh, c'est bon ! C'est doux.（bon：形容詞、doux：形容詞）

わあ、（これは）おいしい！　まろやかだ。

bon 形 おいしい、よい　**doux** 形 まろやかな、甘い

Princesse Mononoké ? C'est très intéressant !（intéressant：形容詞）

『もののけ姫』？　あれはとてもおもしろい！

très 副 とても　**intéressant** 形 おもしろい、興味深い

- **c'est**の否定形は **ce n'est pas**「それは～ではない」です。

Ce n'est pas facile ! C'est difficile !（facile：形容詞、difficile：形容詞）

（これは）簡単じゃないね！　難しいなあ！

facile 形 簡単な　**difficile** 形 難しい

2 人称代名詞強勢形

A-14

人称代名詞の強勢形は人を指す代名詞（➡p. 192）のひとつで、**c'est**と組み合わせて用いることができます。人称と数に合う形があります。

Madame Kido... ? —Oui, **c'est moi.**

木戸さま……？ —はい、（それは）私です。

	単数	複数
1人称（話し手）	**moi** 私	**nous** 私たち
2人称（聞き手）	**toi** 君	**vous** あなた、あなた方、君たち
3人称（男性）	**lui** 彼	**eux** 彼ら
3人称（女性）	**elle** 彼女	**elles** 彼女たち

- 1人称は話し手（自分や自分を含むグループ）、2人称は聞き手（相手や相手を含むグループ）です。3人称はそれ以外の人を指します。
- **2人称単数（toi）は**家族や友人、同僚など**親しい間柄の人や子ども**に用います。相手が1人（単数）でも、**親しくない相手やある程度の距離を取るべき相手には2人称複数（vous）**を用います。
- 人称代名詞強勢形を用いる表現を覚えましょう。

〈c'est + à + 強勢形：それは〜のものだ〉

C'est à **vous** ? —Oui, c'est à **moi.**

それはあなたのものですか？ —はい、私のものです。

〈et + 強勢形：それで、〜は〉

Ça va ? —Oui. Et **toi** ?

元気？ —うん。それで、君は？

et 接 そして

〈強勢形 + aussi：〜も（同様だ）〉

Eux aussi, ça va ? —Oui, ça va bien.

彼らも元気？ —うん、元気だよ。

aussi 副 〜もまた、同じく **bien** 副 順調に、よく、うまく

3 指示代名詞ça

A-15

çaは**「これ、それ、あれ」という意味の指示代名詞**です。遠くのものも近くのものも指し示しながら使えます。また、話や文の中に出てきたものやことも受けることができます。

(近くにある荷物を指しながら) Ça, c'est à vous ?

それ、あなたのですか?

(注文したいものを指しながら) Ça, s'il vous plaît.

それ、お願いします。

s'il vous plaît お願いします(注文や依頼の際に添える表現)

- **ça**を用いる表現を覚えましょう。日常的によく使われます。

〈**ça va**:元気だ〉

Ça va ?　—Oui, ça va.

元気(大丈夫)?　—はい、元気(大丈夫)です。

〈**c'est ça**:そのとおりだ〉

C'est Shibuya ?　—Oui, c'est ça.

(駅に着いて)ここは渋谷ですか?　—はい、そうです。

〈**ça y est**:できた、うまくいった〉

Ça y est ?　—Ça y est.

(準備は)できた?　—できたよ。

À noter

- 人は人称代名詞の強勢形、ものやことは指示代名詞**ça**を使って指し示すと覚えておきましょう。

Lui, c'est Monsieur Miyamoto.　彼、宮本さんだよ。

Ça, c'est cher !　それ、(値段が)高いね!

もう少し学ぼう

A-16

◆ 日常会話でよく使われる質問の仕方は?

質問をするときには疑問文を使います。「はい」「いいえ」の答えを求める疑問文には3種類の形があります（➡第4課p. 43）が、まずは最もシンプルで日常会話でもよく使われる形を覚えましょう。

- 文はそのままで文末に「?」を置く。
- 文末を上がり調子で発音する。

C'est à vous. これはあなたのものです。 **平叙文***

C'est à vous ? これはあなたのものですか？ **疑問文**

＊「平叙文」は、文の種類のうち疑問文や命令文などではないシンプルな形で、「文が表す内容が事実だ」と話し手が判断している、ということを伝える形式です。フランス語の平叙文は〈主語（名詞句）＋動詞（句）〉という語順です。

◆ 質問への答え方は?

まずは、「はい」oui または「いいえ」nonで答えます。それだけでは少しそっけないので、文を続けましょう。

- oui の後には**肯定文**を続ける。

C'est à Paul ? –**Oui**, c'est à lui.

これはポールのものですか? —はい、彼のものです。

- non の後には**否定文**を続ける。

C'est à Paul ? –**Non**, ce n'est pas à lui.

これはポールのものですか? —いいえ、彼のものではないです。

- 否定文を省略し、**別の情報**を伝えることもできる。

C'est à Paul ? –**Non**, c'est à Amélie.

これはポールのものですか? —いいえ、アメリのものです。

1 音声を聞いて、聞こえたフランス語を空欄に書き入れ、対話文を完成しましょう。

A-17

(1) ________, c'est à Anne ?

— Oui, c'est à ________.

これ、アンヌのもの?　—うん、彼女のものだよ。

(2) Salut, Luc. ________ va ?

— Très bien. Et ________ ?

— ________ aussi.

やあ、リュック。元気?

—とても順調。で、君は?

—私も(元気)。

(3) Tiens, ________ Taro !

— Non, non, ce n'est pas ________.

おや、タローだ!　—いや、いや、彼じゃないよ。

tiens 間 おや、おやおや

(4) C'est Marie ?

— Oui, c'est ________.

— Et ________ ?

— Lucie et Sophie.

あれはマリー?

—そのとおり。

—じゃ、彼女たちは?

—リュシーとソフィーだよ。

(5) C'est pour ________.

— Ah bon ? C'est pour ________ ?

これはあなた方のためです。　—そうなんですか?　私たちのため?

pour 前 〜のために　**Ah bon ?** そうなんですか?

2 質問に対し適切な返答となるように、空欄にOuiまたはNonを入れましょう。

（1）それはおいしい？　―いや、おいしくないよ……。

C'est bon ?

― ________, ce n'est pas bon...

（2）山田さま……山田さま？　―はい、私です。こんばんは、マドモワゼル。

Monsieur Yamada... Monsieur Yamada ?

― ________, c'est moi. Bonsoir, mademoiselle.

bonsoir 男 こんばんは

（3）これ、君のもの？　―いいえ、ハナコのものよ。

Ça, c'est à toi ?

― ________ , c'est à Hanako.

3 与えられた語彙を用いて、フランス語の文を作りましょう。（ただし文頭の文字は大文字にすること）

（1）［オーブンから出したばかりの熱々のお皿を指しながら］

気をつけて！　とても熱いよ！

très / chaud / c'est

Attention ! ________________________________ !

（2）それ、私のものではありません。

à / n'est / ça / moi / pas / ce

________ , ________________________________ .

（3）うまくいった！　で、君は、大丈夫？

va / y / et / est / ça / ça / toi

________________ ! ________ , ________________ ?

解答は186ページ

第2課

不定冠詞・部分冠詞

Ce sont des bonbons, *kohakuto*.

これらは「琥珀糖(こはくとう)」というあめ菓子です。

これを理解しよう

- □ 名詞の性と数
- □ 不定冠詞と部分冠詞
- □ 疑問文Qu'est-ce que c'est ?と答え方

これができる

- □ 名詞の性質とそれに合った冠詞に注意を払い、情報を正確に理解したり伝えたりすることができる。
- □ それが何かを尋ねたり答えたりすることができる。

✵これから学ぶこと

- フランス語の**名詞**には**性**があること、また文の中で用いる場合には**単数**か**複数**かということが問題になることを理解しましょう。→ ❶
- 名詞を文の中で用いる場合には、通常、**冠詞**をつけなくてはなりません。3種類ある冠詞の中からこの課では**不定冠詞**と**部分冠詞**について学びましょう。**可算・不可算**という名詞の性質にも注目します。→ ❷
- **「これは何ですか?」という質問と答え方**について学びましょう。→ ❸

ディアログで学ぼう

招待客が日本のおみやげを手渡しています。

A-18

A Oh, c'est joli !
Qu'est-ce que c'est ?

B Ce sont des bonbons,
kohakuto.

A Et ça ?

B C'est du saké.

A：わあ、きれいだ！
これは何？

B：これらは「琥珀糖」というあめ菓子だよ。

A：で、これは？

B：これは日本酒。

語注

□ **oh** 間 おお、わあ（驚き、喜び、憤慨などを表す）　□ **joli** 形 きれいな

□ **qu'est-ce que** 代（疑問）何、何を

□ **Qu'est-ce que c'est ?** これは（それは）何ですか？

□ **ce sont**（後に複数形の名詞が続く）これら（それら）は～だ

□ **des** 冠（不定）ある、なんらかの

□ **bonbon** 男 あめ、あめ菓子、キャンディー　□ **du** 冠（部分）ある量の

□ **saké** 男 日本酒

1 名詞の性と数

フランス語の名詞には文法上の性があり、通常男性名詞か女性名詞かに分かれます。名詞の性と意味の間につながりはありませんが、「人」や多くの「動物」については生物学上の性と同じです。

男性名詞		女性名詞	
本	**livre**	雑誌	**revue**
ワイン	**vin**	ビール	**bière**
電車	**train**	自動車	**voiture**
父	**père**	母	**mère**
兄・弟	**frère**	姉・妹	**sœur**

また、数も重要です。単数か複数かを意識しましょう。基本的には〈単数形＋s〉で複数形になります。このs（複数形のs）は発音しません。

	単数	複数
本	**livre**	**livres**
雑誌	**revue**	**revues**

À noter

- 複数形のsは語末のつづりがsやxの語にはつけません。また、語末のつづりによっては、sの代わりにxをつけたり、つづりが大きく変わったりするものもあります。（➡p.195）

息子 男 fil**s**〔単複同形〕

クルミ 女 noi**x**〔単複同形〕

プレゼント 男 （単数）cad**eau** （複数）cad**eaux**

キャベツ 男 （単数）ch**ou** （複数）ch**oux**

動物 男 （単数）anim**al** （複数）anim**aux**

2 不定冠詞と部分冠詞

A-19

フランス語には、「不定冠詞」「部分冠詞」「定冠詞（➡第5課p. 52）」の3種類の冠詞があり、名詞とセットで用います。
不定冠詞を用いると**「ある1つの、ある複数の」**、部分冠詞を用いると**「ある量の」**というニュアンスが名詞につきます。不定冠詞には名詞の性・数に、部分冠詞には名詞の性に合った形があります。

不定冠詞

	単数	複数
男性	**un**	**des**
女性	**une**	**des**

不定冠詞＋名詞

	単数	複数
男性	**un** livre （ある1冊の）本	**des** livres （ある複数の）本
女性	**une** revue （ある1冊の）雑誌	**des** revues （ある複数の）雑誌

• 不定冠詞（**un / une / des**）は、「本」や「キャンディー」のように1つ、2つと数えられる名詞である**可算名詞**（➡**p.**196）に用います。
unとdesは母音や無音のhで始まる語とリエゾン＊し、**uneはアンシェヌマン**＊します。

arbre 男 木　**un arbre**　**des arbres**
orange 女 オレンジ　**une orange**　**des oranges**

部分冠詞

	単数 （母音・無音のhの前）
男性	**du**（**de l'**）
女性	**de la**（**de l'**）

部分冠詞＋名詞

	単数	単数（母音・無音のhの前）
男性	**du** vin （ある量の）ワイン	**de l'**alcool （ある量の）アルコール
女性	**de la** bière （ある量の）ビール	**de l'**eau （ある量の）水

• 部分冠詞（**du / de la / de l'**）は数えられない名詞である**不可算名詞**（➡**p.**29）に用います。
部分冠詞は**母音や無音のhの前でエリズィオン**＊します。

＊「リエゾン」「アンシェヌマン」「エリズィオン」について、詳しくは**p.**15をご覧ください。

 疑問文Qu'est-ce que c'est ? と答え方

🔈 A-20

何かわからないものがあればQu'est-ce que c'est ? と質問します。単数のものについても複数のものについてもこの質問が使えます。一方、答える際は、単数であればc'est、複数であればce sontを用います。

🔈 Qu'est-ce que c'est ? –C'est de la bière.
これは何ですか? —これはビールです。

🔈 Qu'est-ce que c'est ? –Ce sont des champignons.
これらは何ですか? —これらはキノコだよ。

champignon 男 キノコ

• 文中で用いる名詞には通常、冠詞をつけます。

〈**c'est** + 不定冠詞un / une + 単数形の名詞(可算)〉

🔈 C'est un **dictionnaire**. これは辞書です。

dictionnaire 男 辞書、辞典

🔈 C'est une **pâtisserie**. これはケーキ屋さんです。

pâtisserie 女 ケーキ店、パティスリー

〈**ce sont** + 不定冠詞des + 複数形の名詞(可算)〉

🔈 Ce sont des **dictionnaires**. これらは辞書です。

＊ **ce sont**の否定形は**ce ne sont pas** です。(➡第3課p.35)

🔈 Ce ne sont pas des **livres**. これらは本ではありません。

〈**c'est** + 部分冠詞du / de la / de l' + 単数形の名詞(不可算)〉

🔈 C'est du **thé**. これはお茶です。

🔈 C'est de la **farine**. これは小麦粉です。

🔈 C'est de l'**huile**. これはオイルです。

もう少し学ぼう

A-21

◆ 冠詞がつくとわかること

単数なのか複数なのかがわかります。例えば**bonbon**と**bonbons**は同じ発音ですが、不定冠詞がつくと、単数は**un bonbon**、複数は**des bonbons**となるので違いが明確になります。
名詞によっては、可算名詞と捉えるか、不可算名詞と捉えるかによって意味が異なる場合があります。どんな冠詞が用いられているかで、**話し手がその名詞をどのように捉えているか**がわかります。

C'est un café. これは喫茶店だよ。
（caféは喫茶店＝可算名詞）

C'est du café. これはコーヒーだよ。
（caféは飲み物、またはコーヒー豆＝不可算名詞）

◆ 不可算名詞ってどんなもの？

個数ではなく量ではかるものはたいてい不可算名詞と考えていいでしょう。

液体 **thé** 男 お茶、紅茶 **huile** 女 油、オイル **eau** 女 水 **vin** 男 ワイン…ほか

気体 **air** 男 空気…ほか

粉状・粒状のもの **sucre** 男 砂糖 **riz** 男 米 **farine** 女 小麦粉…ほか

半固形状・塊状のもの **beurre** 男 バター **viande** 女 肉 **fromage** 男 チーズ…ほか

抽象名詞 **amour** 男 愛 **beauté** 女 美…ほか

◆ 不可算名詞も数えられる!?

不可算名詞も状況によっては数えることがあります。例えば、飲み物などを注文する場合には注文数を示さなくてはなりませんから、あえて数えられる個体として捉えます。

Un café et deux thés, s'il vous plaît.

コーヒー1つと紅茶2つ、お願いします。

練習問題に挑戦しよう

1 音声を聞いて、聞こえたフランス語を空欄に書き入れ、対話文を完成しましょう。

A-22

(1) ________ c'est ?
— C'est ______ cadeau pour toi.

これは何?
—これは君へのプレゼント。

(2) ________ des biscuits ?
— Oui, des biscuits salés, *senbei*.

これはビスケット?
—そう、塩味のビスケット、せんべいだよ。

(3) C'est ______ vin ?
— Non, c'est ______ eau.

これはワイン?
—いや、それは水だよ。

(4) C'est ______ université ?
— Non, c'est ______ hôpital.

これは大学?
—いや、病院だよ。

2 空欄に不定冠詞を入れましょう。

例) ______ cahier 男 ノート → __un__ cahier

(1) ______ garçon 男 少年
(2) ______ fille 女 少女
(3) ______ ordinateur 男 パソコン
(4) ______ école 女 学校
(5) ______ fraise 女 イチゴ
(6) ______ citron 男 レモン

3 複数形に書き直しましょう。

例）un cahier ＿des cahiers＿

(1) un train ＿＿＿＿＿＿ (2) une voiture ＿＿＿＿＿＿

(3) une noix ＿＿＿＿＿＿ (4) un animal ＿＿＿＿＿＿

4 空欄に部分冠詞を入れましょう。

例） fromage 男 チーズ → ＿du＿ fromage

(1) ＿＿＿＿ soupe 女 スープ (2) ＿＿＿＿ sel 男 塩

(3) ＿＿＿＿ huile 女 油、オイル (4) ＿＿＿＿ argent 男 お金

(5) ＿＿＿＿ pain 男 パン (6) ＿＿＿＿ salade 女 サラダ

5 次の日本語の文をフランス語に直しましょう。

(1) これはフルーツジュースです。 フルーツジュース：**jus de fruit** 男（不可算）

＿＿＿＿＿＿＿＿＿＿＿＿＿＿＿＿＿＿＿＿

(2) これはジャムです。 ジャム：**confiture** 女（不可算）

＿＿＿＿＿＿＿＿＿＿＿＿＿＿＿＿＿＿＿＿

(3) これらはイチゴではありません。ラズベリーです。

ラズベリー：**framboise** 女（可算）

＿＿＿＿＿＿＿＿＿＿＿＿＿＿＿＿＿＿＿＿

＿＿＿＿＿＿＿＿＿＿＿＿＿＿＿＿＿＿＿＿

解答は186ページ

第3課

主語人称代名詞・動詞être

Je suis étudiant en économie.

ぼくは経済学科の学生です。

これを理解しよう

- □ 主語人称代名詞
- □ 動詞être 直説法現在形
- □ 職業や社会的立場を表す名詞

これができる

- □ 「私は〜だ」「あなたは〜ですか」というように、自分や相手、また第三者の職業や社会的立場について話したり尋ねたりすることができる。

これから学ぶこと

- 「私は」「あなたは」「彼は」「それは」という意味の**主語**になる**人称代名詞**を学びましょう。→ 1
- フランス語の動詞は主語に合わせて変化します。これを**動詞の活用**と言います。この課では重要動詞**être**の**直説法現在の活用形**とêtreを用いる文の組み立てについて学びましょう。否定文の作り方も確認します。→ 2
- **職業や社会的立場を表す名詞**は、多くの場合、主語の性に合った形があります。**女性形の作り方の基本**を覚えましょう。→ 3

ディアログで学ぼう

パリにある大学のキャンパスで新入生が話をしています。

A-23

A Salut ! Moi, c'est Éric. **Je suis étudiant en économie.** Et toi ?

B Moi, c'est Anne. Je suis étudiante en japonais. Tu es de Paris ?

A Non, je ne suis pas de Paris. Et toi ?

B Moi non plus. Je suis d'Avignon.

A：やあ！　ぼく、エリック。ぼくは経済学科の学生だよ。君は?

B：私、アンヌ。日本語学科の学生。君はパリ出身?

A：違う、パリ出身じゃない。君は?

B：私も違う、アヴィニヨン出身よ。

語注

- □ **salut** 男 (間投詞的に。くだけた調子で) こんにちは、やあ
- □ **je** 代 (人称・主語) 私は
- □ **suis, es** (<être) 動 ～だ、～である
- □ **étudiant, étudiante** 名 学生
- □ **en** 前 (+部門・分野) ～の分野で → **étudiant en ...** ～学科 (学部) の学生
- □ **économie** 女 経済、経済学
- □ **japonais** 男 日本語
- □ **tu** 代 (人称・主語) 君は
- □ **de (d')** 前 ～から、～の → **être de...** ～出身だ
- □ **Paris** 固有・男 パリ
- □ **ne ... pas** (否定表現) ～ない
- □ **non plus** ～もまたそうではない
- □ **Avignon** 固有 アヴィニヨン

1 主語人称代名詞

A-24

文の主語になる人称代名詞を覚えましょう。人称と数に合った8つの形があります。

	単数		複数	
1人称(話し手)	**je (j')**	私は	**nous**	私たちは
2人称(聞き手)	**tu**	君は	**vous**	あなたは・あなた方は・君たちは
3人称(男性)	**il**	彼は・それは	**ils**	彼らは・それらは
3人称(女性)	**elle**	彼女は・それは	**elles**	彼女たちは・それらは

- **je**は母音と無音の**h**の前ではエリズィオンし**j'**となります。
  nous, vous, ils, ellesの語末の**s**は発音しませんが、母音や無音の**h**の前では[z]の音でリエゾンし、**il, elle**はアンシェヌマンします。

- 3人称の**il, elle, ils, elles**は「もの」や「こと」も指します。
  il, ilsは**男性名詞**を、**elle, elles**は**女性名詞**を受けます。男性、女性が混在する場合は**ils**で受けます。

女性名詞 複数

Oh, des cerises ! –Elles sont d'Espagne.

わあ、サクランボ！ —(それらは)スペイン産だよ。

À noter

- 主語人称代名詞は動詞とセットで用いられます。単独で用いられることはありません。動詞と切り離して単独で用いることができる人称代名詞は強勢形(➡第1課p.19)のみです。

2 動詞être 直説法現在形

A-25

フランス語の動詞は主語に合わせて活用します。最も重要な動詞の1つであるêtreの直説法現在（動詞の法➡p.200）の活用形を確認しましょう。

être「～だ、～である」

	単数	複数
1人称	**je suis**	**nous sommes**
2人称	**tu es**	**vous‿êtes**
3人称	**il⁀est**	**ils sont**
	elle⁀est	**elles sont**

- **être**の意味は**「～だ、～である」**で、英語の**be**動詞にあたります。とても不規則な活用をしますが、使用頻度が非常に高く、文法的にも重要な役割を担います。しっかりと覚えましょう。

- 「…は～だ」は、〈主語＋**être**（活用形）＋属詞〉で表します。この場合**être**の役目は**主語と属詞をイコールでつなぎ合わせること**です。属詞になるのは名詞（句）や形容詞（句）です。（属詞➡**p.** 199、句➡**p.**197）

主語 être 属詞

Je suis étudiant.　私は学生です。

「私」 ＝ 「（男子）学生」

- 否定文を作る場合は、**動詞（活用形）**を**ne**と**pas**ではさみます。**ne**は母音や無音の**h**の前ではエリズィオンし**n'**になります。

Je **ne suis pas** étudiant.　私は学生ではありません。

Paul **n'est pas** étudiant.　ポールは学生ではありません。

3 職業や社会的立場を表す名詞

A-26

êtreの属詞として用いられることの多い職業や社会的立場、また国籍や民族を示す名詞の多くには男性形と女性形があります。辞書の見出し語は男性形なので、基本的な女性形の作り方を覚えましょう。

• 女性形の基本的な作り方:〈男性形 + e〉

冠詞をつけずに用います

Je suis étudiant en économie. 私(男)は経済学科の学生です。

男性形

Je suis étudiante en japonais. 私(女)は日本語学科の学生です。

女性形

	男性形	女性形	
学生	**étudiant**	**étudiante**	
勤め人・従業員	**employé**	**employée**	
芸術家	**artiste**	**artiste**	男女同形
公務員	**fonctionnaire**	**fonctionnaire**	男女同形

＊女性形のeが、**語末の子音字を発音しない語**についた場合は、その子音字を発音します。

étudian**t** → étudiante

＊女性形のeが、**語末が母音字の語**についた場合は、発音の変化は起こりません。

employ**é** → employée

• **語末のつづりが-eの場合は、男女同形**です。

Alain est **journaliste**. アランはジャーナリストだ。

Marie est **journaliste**. マリーはジャーナリストだ。

• 複数形の基本的な作り方は〈単数形 + s〉です。(➡第2課**p.26**)

Ils sont **étudiants**. 彼らは学生です。

Elles sont **étudiantes**. 彼女たちは学生です

✚もう少し学ぼう

🔈 A-27

◆ êtreを用いる表現

出身地や居場所を言うことができます。

〈être de + 都市・町：～出身だ〉

🔈 Amélie est de **Paris**. アメリはパリ出身です。

🔈 Nous sommes d'**Osaka***. 私たちは大阪出身です。

＊**de**は母音・無音の**h**の前でエリズィオンします。

〈être à + 都市・町：～にいる、～にある〉

🔈 Philippe est à **Paris**. フィリップはパリにいます。

◆ 職業名詞の男性形と女性形

職業を表す名詞には男女同形のものもあります。また男性名詞しかないものもあり、その場合は女性に対しても男性名詞を使います。

教師 professeur* 〔男女同形〕

作家 écrivain* 〔男性名詞のみ〕

医師 médecin 〔男性名詞のみ〕

🔈 Sophie est médecin. ソフィーは医師だ。

＊最近では女性形として**professeure**や**écrivaine**も用いられます。

また、特殊な女性形もあります。男性形の語末のつづりで女性形の形が決まっています。（特殊な女性形➡**p.**195）

	男性形	女性形	変化
歌手	chant**eur**	chant**euse**	-eur → -euse
パン職人	boulang**er**	boulang**ère**	-er → -ère
俳優	ac**teur**	ac**trice**	-teur → -trice
高校生	lycé**en**	lycé**enne**	-en →-enne

1 **音声を聞いて、聞こえたフランス語を空欄に書き入れ、対話文を完成しましょう。**

A-28

(1) ________ Parisien ?

— Oui, ________ de Paris.

あなたはパリジャンですか?　—はい、私はパリ出身です。

Parisien, Parisienne 名 パリの人、パリジャン、パリジェンヌ

(2) Mami est ________ ?

— Non, ________ lycéenne.

マミは大学生ですか?　—いいえ、彼女は高校生です。

(3) ________ étudiants en droit.

—Moi, je suis ________ en sociologie.

ぼくらは法学部の学生だよ。　—ぼく、社会学部の学生なんだ。

droit 男 法学、法律　**sociologie** 女 社会学

(4) Ken et Emi ________ artistes ?

—Oui. ________ à New York.

ケンとエミは芸術家ですか?　—はい。彼らはニューヨークにいます。

2 **否定文にしましょう。**

(1) Elle est de Strasbourg.　**Strasbourg** 固有 ストラスブール

____

(2) Ils sont fonctionnaires.

____

(3) Vous êtes touristes.

touriste 名 観光客

____

3 以下の文を指定された主語に合わせて書き換えましょう。

(1) Il est avocat. → Elle ________________.

avocat 名 弁護士

(2) Je suis ingénieur. →Jean et moi, nous ________.

ingénieur 名 技師

(3) Vous êtes stylistes. → Tu ________________.

stylistc 名 ファッションデザイナー

(4) Elle est employée. → Ils ________________.

4 次の日本語の文をフランス語に直しましょう。

(1) ルイ（**Louis**）は料理人です。彼はリヨンにいます。

料理人：**cuisinier, cuisinière** 名　リヨン：**Lyon** 固有

____

____

(2) ジャック（**Jacques**）とポール（**Paul**）は医師です。

____

(3) 彼女は教員ではないのですか?　教員：**enseignant** 名

____

(4) 私、ユミ。大学生だよ。青森出身なんだ。

____

____

解答は186ページ

第4課

動詞avoir・疑問文・形容詞

Est-ce que vous avez un ordinateur ?

あなたはパソコンを持っていますか?

これを理解しよう

- □ 動詞avoir
- □ 疑問文 3つの形
- □ 形容詞

これができる

- □ 持っているものについて話したり尋ねたりできる。
- □ ものや人の様子や性質を伝えられる。

これから学ぶこと

- 重要動詞**avoir**の**直説法現在形**を覚えましょう。→ ❶
- ouiまたはnonの答えを求める**疑問文の作り方**を学びます。→ ❷
- フランス語の**形容詞の特徴**について理解しましょう。形容詞は形容される名詞と**性・数を一致**させます。また置く**位置**にも注意する必要があります。→ ❸

ディアログで学ぼう

授業終了後、教室で教師と学生が話をしています。

A-29

A Est-ce que vous avez un ordinateur ?

B Non, mais j'ai une tablette.

A Elle est pratique ?

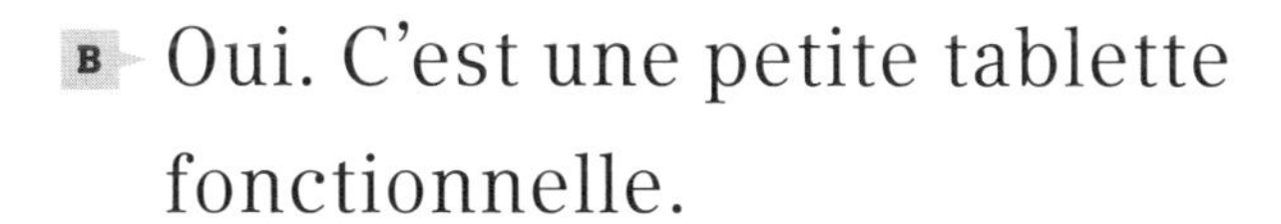

B Oui. C'est une petite tablette fonctionnelle.

A：あなたはパソコンを持っていますか?

B：いいえ、でもタブレットを持っています。

A：それは便利ですか?

B：はい。小さくて機能的なタブレットです。

語注

- ☐ **est-ce que** 副 (疑問文を作るための表現) ～か? ～ですか?
- ☐ **avez, ai** (<avoir) 動 ～を持っている、(家族・友人など) がいる、(時間など) がある
- ☐ **mais** 接 でも、しかし ☐ **tablette** 女 タブレット
- ☐ **pratique** 形 便利な、実用的な ☐ **petit, petite** 形 小さな
- ☐ **fonctionnel, fonctionnelle** 形 機能的な

1 動詞avoir

A-30

avoirは**「～を持っている」**という意味の動詞です。英語では**have**に相当します。直説法現在の活用形を覚えましょう。

avoir 「～を持っている」

	単数	複数
1人称	**j'ai**	**nous‿avons**
2人称	**tu as**	**vous‿avez**
3人称	**il⁀a**	**ils‿ont**
	elle⁀a	**elles‿ont**

- **avoirの活用形の語頭は母音**なので、**je**はエリズィオンし、**j'**となります。アンシェヌマンやリエゾンにも注意しましょう。否定形の場合は、**ne**と**pas**で活用形をはさみます（**ne**はエリズィオンして**n'**となります）。**je n'ai pas... tu n'as pas...**
- **avoir**は<u>**直接目的語**</u>をとる動詞です。（直接目的語➡**p.**201）

J'ai **<u>une tablette</u>**.（直接目的語）
私はタブレットを（1つ）持っています。

Ils ont **<u>des enfants</u>**.（直接目的語）
彼らには子どもが（複数）います。

À noter

- 否定の**de**：直接目的語についた**不定冠詞や部分冠詞**は、否定文では**de**（**d'**）になります。

Je n'ai pas **de** tablette.
私はタブレットを持っていません。

Ils n'ont pas **d'**enfants.
彼らには子どもがいません。

＊ただし、属詞についた不定冠詞や部分冠詞は否定文でも**de**（**d'**）とはせず、そのままの形になります。

Ce n'est pas **un** manuel, c'est un cahier d'exercices.
それは教科書ではなくて、練習帳です。

2 疑問文 3つの形

A-31

ouiまたは**non**の答えを求める疑問文は次のように作ります。どの形でも文末には「?」を置きます。

① 平叙文のまま文末の**イントネーションを上げて**発音する。日常会話で最もよく使われる。(➡第1課p.21)

Vous avez un ordinateur ? ↗ あなたはパソコンを持っていますか?

② **文頭にest-ce queをつける**。日常会話で使われる。

Est-ce que vous avez un ordinateur ?

Est-ce qu'elle a un ordinateur ?

彼女はパソコンを持っていますか?

＊ **que**は母音や無音の**h**の前では**エリズィオン**するので注意する。

③ **倒置疑問文**にする。主語と動詞の順番を入れ替えて、**ハイフン「-」で結ぶ**。書き言葉で使われるが、話し言葉(会話)で使われる場合は、少し改まった印象を与える。

Avez-vous un ordinateur ?

- 倒置疑問文で主語が**il**、**elle**などのように母音で始まる代名詞で、**動詞の活用形の語末が母音字(a, e)の場合**
  →動詞と主語の間に-t-を置く。

A-t-elle une voiture ? —Oui, elle a une voiture.

彼女は車を持っていますか? —はい、彼女は車を持っています。

- 倒置疑問文で主語が名詞や固有名詞(名詞句)の場合
  →主語の名詞句を文頭に置いてから、それを人称代名詞で受けて、**動詞と倒置**する。

Paul est professeur ? → **Paul** est-**il** professeur ?

ポールは教師ですか?

3 形容詞

🔊 A-32

まず、形容詞について大事な3つのことを確認しましょう。

① かかる名詞の性・数に合わせて変化します。

② êtreなどの属詞（➡p. 199）として用いられる場合や、**名詞に直接つけて**用いられる場合（付加形容詞）があります。

③ 付加形容詞が置かれる位置は基本的に名詞の後です。

形容詞は、名詞の性・数に合わせて下の表のように4つの形になります。基本的な女性形の作り方は〈男性形＋e〉、複数形の作り方は〈単数形＋s〉です。ただし、**特殊な女性形、複数形もあります**。（➡p.195）

content「満足している、うれしい」

	男性	女性
単数	**content**	**contente**
複数	**contents**	**contentes**

intéressant「おもしろい、興味深い」

	男性	女性
単数	**intéressant**	**intéressante**
複数	**intéressants**	**intéressantes**

• 属詞として用いられる場合：主語の性・数に合った形

🔊 **Tu** n'es pas **content** ? Moi, **je** suis très **contente**...

男性単数形　女性単数形

君（男性）はうれしくないの？　**私（女性）**、とてもうれしいけど……。

• 付加形容詞として用いられる場合：**名詞**の性・数に合った形で、位置は名詞の後

🔊 C'est un **livre** intéressant.　これはおもしろい本です。

男性単数形

🔊 Ce sont des **livres** intéressants.　これらはおもしろい本です。

男性複数形

🔊 J'ai une **tablette** fonctionnelle.

女性単数形

私は機能的なタブレットを持っている。

ただし、以下の形容詞は、基本的に名詞の前に置きます。よく使う形容詞ですので、覚えてしまいましょう。

	男性形	女性形
大きい	grand(s)	grande(s)
若い	jeune(s)	
よい、おいしい	bon(s)	bonne(s)
高い	haut(s)	haute(s)
本当の	vrai(s)	vraie(s)

	男性形	女性形
小さい	petit(s)	petite(s)
太い	gros	grosse(s)
悪い、まずい	mauvais	mauvaise(s)
長い	long(s)	longue(s)
きれいな	joli(s)	jolie(s)

J'ai une petite tablette. 私は小さなタブレットを持っています。
女性単数

Alain a de jolis stylos. アランはきれいな万年筆を(複数)持っています。
男性複数

＊形容詞の前の不定冠詞desは多くの場合deになります。

もう少し学ぼう

A-33

◆ 男性第2形のある形容詞

次の3つの形容詞は日常的によく使いますが、女性形や複数形が特殊で、男性第2形を持つ形容詞です。男性第2形は母音や無音のhから始まる男性名詞の前で用いる形です。

	男性第1形	男性第2形	女性単数形	男性複数形	女性複数形
美しい	beau	bel	belle	beaux	belles
新しい	nouveau	nouvel	nouvelle	nouveaux	nouvelles
古い、年老いた	vieux	vieil	vieille	vieux	vieilles

＊名詞に付加する場合は名詞の前に置きます。

Ils ont un bel appartement. 彼らは美しいアパルトマンを持っています。
男性名詞

C'est un vieil hôtel. それは古いホテルです。
男性名詞

1 音声を聞いて、聞こえたフランス語を空欄に書き入れ、文を完成しましょう。

A-34

(1) ________ des frères et sœurs ?

— Oui, ________ un grand frère et une petite sœur.

君には兄弟姉妹がいる？

— うん、兄が１人と妹が１人いるよ。

(2) ________ des enfants ?

— Non, ________________ d'enfants.

あなた方にはお子さんがいますか？　— いいえ、いません。

(3) Philippe ________ des amis japonais.

フィリップには日本人の友達がいる。

(4) Luc et Sylvie ________ une villa à Biarritz.

リュックとシルヴィはビアリッツに別荘を持っています。

villa 女 別荘

(5) Paul est ________, mais Marie n'est pas ________ .

ポールは喜んでいるが、マリーは喜んでいない。

2 否定文にしましょう。

(1) Elle a un portable.　**portable** 男 携帯電話

____

(2) J'ai une amie française.

amie 女 (女性の) 友人　**français** 形 フランスの、フランス人の

____

(3) Ce sont des étudiants japonais.　**japonais** 形 日本の、日本人の

____

3 以下の文を、est-ce queを用いた疑問文と倒置疑問文に書き換えましょう。

(1) Vous avez des bagages ?　　**bagage** 男 荷物

(2) Julie a une imprimante ?　　**imprimante** 女 プリンター

4 次の日本語の文をフランス語に直しましょう。

(1) 君は青いワンピースを持っている?

ワンピース：**robe** 女　青い：**bleu, bleue** 形

(2) エレーヌ（**Hélène**）は古いピアノを1台持っています。　　ピアノ：**piano** 男

(3) 彼らはとても親切です。　　親切な：**gentil, gentille** 形

(4) あなた方は犬を飼っていますか？

—はい、大きな犬を1匹飼っています。とても利口です。

犬：**chien** 男　利口な：**sage** 形

解答は186~187ページ

第5課

er動詞・定冠詞

J'adore le chocolat chaud.

私はホットチョコレートが大好きです。

これを理解しよう

- □ er動詞
- □ 定冠詞

これができる

- □ er動詞を使って日常的な話題（好み、話せる言葉、住んでいる場所など）について話したり尋ねたりできる。
- □ 定冠詞 le, la, les の用法を理解し、伝えたい内容に合わせて定冠詞を用いることができる。

❋これから学ぶこと

- フランス語の動詞は活用形の型によって3つのグループに分かれます。規則的な活用をする「規則動詞」には「**er動詞**」と「**ir**動詞（➡第10課）」があり、残りは「不規則動詞」です。この課では**er動詞**の**直説法現在の活用形**を覚えましょう。➡ 1
- **定冠詞**について学び、基本的な用法、不定冠詞や部分冠詞（➡第2課 p.27）との違いを理解しましょう。➡ 2

ディアログで学ぼう

ホットドリンクサーバーの前で同僚2人が話をしています。

A-35

A Tu n'aimes pas le café ?

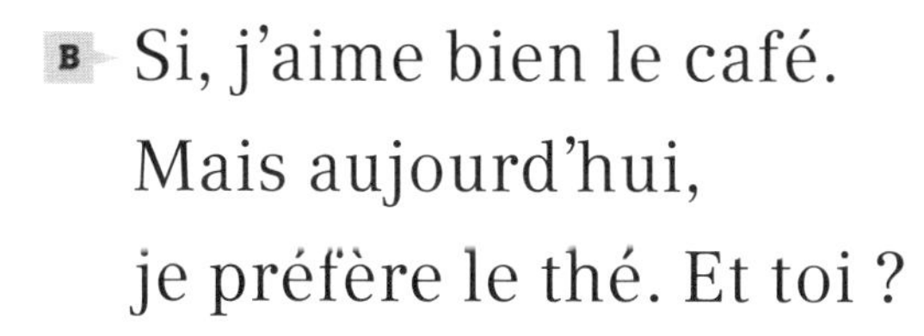

B Si, j'aime bien le café.
Mais aujourd'hui,
je préfère le thé. Et toi ?

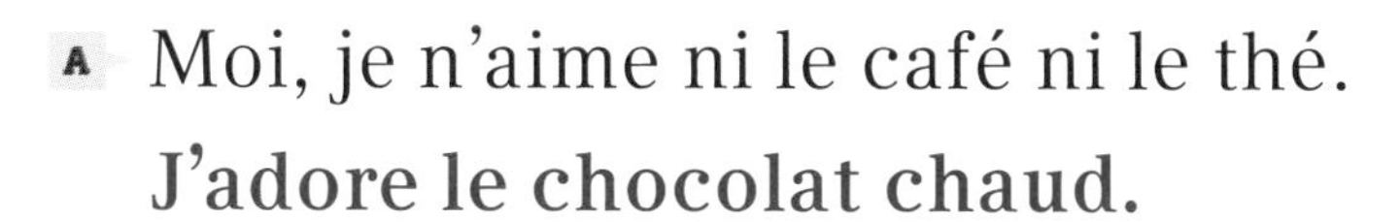

A Moi, je n'aime ni le café ni le thé.
J'adore le chocolat chaud.

A：君はコーヒーが好きじゃないの?

B：そんなことない、コーヒーは結構好き。
でも今日は紅茶の方がいい。
あなたは?

A：ぼく、コーヒーも紅茶も好きじゃないんだ。
ぼくはホットチョコレートが大好きなんだよ。

語注

- □ **aimes, aime** (<aimer) 動 ～を好む、～を愛す
- □ **si** 副 (否定疑問に対する肯定の答えとして) そんなことはない
- □ **bien** 副 上手に、よく、順調に、大いに　□ **mais** 接 しかし
- □ **aujourd'hui** 副 今日
- □ **préfère** (<préférer) 動 ～の方を好む
- □ **ne... ni** (A) **ni** (B) 接 (A)も(B)も～ない　□ **adore** (<adorer) 動 ～が大好きだ
- □ **chocolat** 男 チョコレート　□ **chaud, chaude** 形 熱い、暑い

1 er動詞

A-36

er動詞とは、不定詞（原形➡**p.** 201）の末尾のつづりが-**er** で、規則的な活用の型（パターン）を持つ動詞です。ここでは直説法現在形を覚えましょう。

覚え方のコツ

動詞を前半部（語幹）と後半部（語尾）に分け、その組み合わせで覚えます（前半部には前、後半部には後という記号を用います）。

前 不定詞末尾の-**er** をとった部分　例：「話す」 前**parler** ➡ **parl**

後 主語の人称・数に合った形がある（下の表参照）

	単数	複数
1人称	-e 【無音】	-ons [ɔ̃]（オン）
2人称	-es 【無音】	-ez [e]（エ）
3人称	-e 【無音】	-ent 【無音】

＊**発音に注意！** 1人称複数と2人称複数以外、後半部は【無音】です。

parler「話す」 前**parl-**

	単数	複数
1人称	**je parl**e	**nous parl**ons
2人称	**tu parl**es	**vous parl**ez
3人称	**il parl**e	**ils parl**ent
	elle parle	**elles parl**ent

Je **parle** français.　私はフランス語を話す。

français 男 フランス語　**parler** ＋言語名（冠詞なし）〜語を話す

aimer「〜を好む、〜を愛す」 前 aim-

	単数	複数
1人称	**j'aime**	**nous aimons**
2人称	**tu aimes**	**vous aimez**
3人称	**il aime**	**ils aiment**
	elle aime	**elles aiment**

J'aime bien le café.　コーヒーは結構好き。

À noter

- er動詞の中には変則的な活用をするものがあります。
  一部の人称で**前半部が変形**します。下記はその例です。

〈不定詞の語末がéまたはe＋子音字＋erの場合〉

préférer「〜の方を好む」 前 préfér-　変形 préfèr-

	単数	複数
1人称	**je préfère**	**nous préférons**
2人称	**tu préfères**	**vous préférez**
3人称	**il préfère**	**ils préfèrent**
	elle préfère	**elles préfèrent**

Je **préfère** le thé.　私は紅茶の方がいいです。

acheter「〜を買う」 前 achet-　変形 achèt-

	単数	複数
1人称	**j'achète**	**nous achetons**
2人称	**tu achètes**	**vous achetez**
3人称	**il achète**	**ils achètent**
	elle achète	**elles achètent**

Louis **achète** un ordinateur.　ルイはパソコンを買います。

2 定冠詞

A-37

不定冠詞や部分冠詞（➡第2課p. 27）と同様、名詞の性・数に合った形があります。まずは形を覚えましょう。

定冠詞

	単数（母音・無音のhの前）	複数
男性	**le**（**l'**）	**les**
女性	**la**（**l'**）	**les**

定冠詞＋名詞

	単数	複数
男性	**le livre** **l'arbre**	**les livres** **les arbres**
女性	**la revue** **l'orange**	**les revues** **les oranges**

＊**le**と**la**は**母音や無音のhの前でエリズィオン**します。　**l'orange**
＊**les**は**母音・無音のhの前でリエゾン**します。　**les oranges**

定冠詞の基本的な用法

① 特定：聞き手がその名詞が何かがわかっている

- それが何か（誰か）、話し手と聞き手が情報を共有できている

Le professeur est dans **la** salle.　先生は教室にいます。

- 世の中に１つしかないので明らか（例　**la Lune**：月　**la Terre**：地球など）
- **補足情報**によって他と区別できる

La mère **de Thomas** est médecin.　トマの母親は医師です。

- 国名や地域名などの固有名詞とセットで用いる（例　**l'Europe**：ヨーロッパ　**la France**：フランス）

② 総称：「（いわゆる）～というもの」

Vous aimez **le** vin ?　あなたは（いわゆる）ワイン（というもの）が好きですか?

À noter

- 好き・嫌いを表す場合、名詞には定冠詞をつけます。その際、**不可算名詞は単数形**で、**可算名詞は複数形**で表します。

J'**adore** le **chocolat chaud**.　私はホットチョコレートが大好きだ。
（chocolat chaud：不可算名詞）

Guy **n'aime pas** les **carottes**.　ギーはニンジンが好きではない。
（carottes：可算名詞）

✚もう少し学ぼう

A-38

◆「～するのが好き」と言いたい場合

aimer, préférer, adorer, détester は後に**動詞（不定詞）**を続けることができ、好きなこと、嫌いなことについて話せます。

détester 動 嫌う

Il aime écouter de la musique.　彼は音楽を聞くのが好きです。

écouter de la musique 音楽を聞く（**de la** は部分冠詞）

◆「好き」「嫌い」の度合い

〈対象が「もの」や「こと」の場合〉

	ビールが
J'adore la bière.	大好き。
J'aime beaucoup la bière.	すごく好き。
J'aime la bière.	好き。
J'aime bien la bière.	わりと好き。
Je n'aime pas beaucoup la bière.	あまり好きでない。
Je n'aime pas la bière.	好きでない。
Je déteste la bière.	嫌い。

〈対象が「人」の場合〉

J'aime Paul.　ポールを愛している。

J'aime beaucoup Paul.　ポールが（人として）好き。

◆ 否定疑問文への答え方

否定疑問文「～ではないか？」には、**si** か **non** で答えます。

- 質問に同意せず「そんなことはない、～だ」と言う：**si**
- 質問に同意し「そのとおり、～ではない」と言う：**non**

Tu n'aimes pas le café ?　コーヒーが好きではないの？

–**Si**, j'aime le café.　―いや、コーヒーは好きだよ。

–**Non**, je n'aime pas le café.　―そう、コーヒーは好きではないんだ。

1 音声を聞いて、聞こえたフランス語を空欄に書き入れ、対話文を完成しましょう。

A-39

(1) ＿＿＿＿＿＿ japonais ?

— Non, ＿＿＿＿＿＿ japonais.

あなたは日本語を話しますか?　—いいえ、日本語は話しません。

(2) Anne et Louise ＿＿＿＿ le fromage ?

— Oui, ＿＿＿＿＿＿ ça.

アンヌとルイーズはチーズが好きですか。　—はい、大好きです。

(3) ＿＿＿＿＿＿ les chiens ?

— Non. Mais ＿＿＿＿ les chats.

君は犬が好きじゃないの?　—うん (好きではない)。でも猫は好き。

(4) ＿＿＿＿＿＿ de la viande ?

— Oui, mais en fait ＿＿＿＿＿＿ le poisson.

お肉を買うのですか?　—ええ、でも実は魚の方が好きです。

en fait (ところが) 実際には、実は

2 空欄をうめて対話文を完成させ、文全体を日本語に直しましょう。

(1) Pierre n'a pas de frères ?

— ＿＿＿＿ , il a un petit frère.

＿＿＿＿＿＿＿＿＿＿＿＿＿＿＿＿＿＿＿＿

(2) Vous n'êtes pas fatigué ?

— ＿＿＿＿ , je ne suis pas fatigué.

fatigué 形 疲れた

＿＿＿＿＿＿＿＿＿＿＿＿＿＿＿＿＿＿＿＿

(3) Il n'aime pas le vin ?

— ＿＿＿＿ , il aime le vin.

＿＿＿＿＿＿＿＿＿＿＿＿＿＿＿＿＿＿＿＿

3 指示された動詞を正しく活用させ、空欄に書きましょう。また（　　）には適切な定冠詞を入れましょう。

（1）étudier：（教科など）を学ぶ　　あなたはフランス語を学んでいますか？

Vous ________ (　　　　) français ?

（2）travailler：働く、勉強する　　私たちはマルセイユで働いています。

Nous ________ à Marseille.

（3）détester：嫌う　　セリーヌはタマネギが大嫌いです。

タマネギ：**oignon** 男

Céline ________ (　　　　) oignons.

（4）écouter：〜を聞く　　私はラジオを毎日聞きます。

ラジオ：**radio** 女

J' ________ (　　　　) radio tous les jours.

4 次の日本語の文をフランス語に直しましょう。

（1）あなたはリヨンに住んでいますか？　―はい、私はリヨンに住んでいます。

住む：**habiter** 動　リヨンに：**à Lyon**

____

____

（2）ジャン（**Jean**）は音楽がとても好きです。　音楽：**musique** 女

____

（3）君はとても上手に歌うね。　歌う：**chanter** 動　上手に：**bien** 副

____

（4）学生たちは英語とドイツ語を話します。

英語：**anglais** 男　ドイツ語：**allemand** 男

____

解答は187ページ

第6課

不規則動詞・指示形容詞・代名詞on

On prend un verre ?

飲みに行こうか?

これを理解しよう

- □ 不規則動詞faire, savoir, prendre
- □ 指示形容詞
- □ 代名詞on

これができる

- □ 何をするか話したり尋ねたりできる。
- □ 「この～」「その～」「あの～」と何かを指し示しながら話すことができる。
- □ 気軽な感じで誘うことができる。

これから学ぶこと

- 第5課で学んだer動詞のような規則動詞とは異なる、規則的ではない活用形を持つ**不規則動詞**について学びましょう。特に使用頻度の高い**faire, savoir, prendre**の3つを取り上げます。→❶
- 何かを指し示し、特定する「この、その、あの」という意味の**指示形容詞**を使えるようになりましょう。→❷
- 会話で用いることの多い**代名詞on**の意味や使い方について学びましょう。

ディアログで学ぼう

金曜の終業時、同僚同士が話をしています。

A-40

A Qu'est-ce que tu fais ce soir ?

B Je ne sais pas...

A On prend un verre ?

B Bonne idée ! Avec plaisir.

A：今晩、君は何をするの?
B：わからない……。
A：飲みに行こうか?
B：いいね！　喜んで。

語注

☐ **qu'est-ce que** 代 (疑問) 何、何を (➡p.25、p.137)　☐ **fais** (<faire) 動 ～をする、～を作る　☐ **ce** 形 (指示) この、その、あの　☐ **soir** 男 晩、夕方
☐ **sais** (<savoir) 動 ～を知っている、～がわかっている　☐ **on** 代 (主語) 私たちは
☐ **prend** (<prendre) 動 ～を取る、手にする、(食べ物を) 食べる、(飲み物を) 飲む
☐ **verre** 男 グラス、一杯の酒 →**prendre un verre** 一杯やる
☐ **bon, bonne** 形 よい　☐ **idée** 女 思いつき、アイデア →**bonne idée** 名案、いい考え　☐ **avec** 前 ～とともに　☐ **plaisir** 男 楽しみ、喜び →**avec plaisir** 喜んで

この課のポイント

1 不規則動詞faire, savoir, prendre

A-41

使用頻度の高い動詞の多くは不規則な活用をします。とはいえある種の規則性も見られるので、覚えておくと役に立ちますが（➡ **p.** 202）、基本的な動詞についてはまず、活用形の発音、そしてつづりを丸ごと覚えてしまうことが近道です。ここでは会話でもよく使う3つの動詞 **faire, savoir, prendre** の直説法現在の活用形と、これらの動詞を用いた表現を覚えましょう。

faire「～をする、～を作る」

	単数	複数
1人称	**je fais**	**nous faisons**
2人称	**tu fais**	**vous faites**
3人称	**il fait**	**ils font**
	elle fait	**elles font**

* 活用形語末の**s**や**t**は発音しません。そのため単数の活用形は全て [fɛ]（フェ）という発音です。
* 1人称複数（**nous**）の活用形**faisons**は発音に注意しましょう。[fəzɔ̃]（フゾン）と発音します。
* 2人称複数（**vous**）の活用形後半部は**-es**です。無音ですから [fɛt]（フェットゥ）と発音します。

- 英語の**do**や**make**に相当する重要な動詞ですが、とても不規則な活用をします。発音とともにしっかり覚えましょう。

Qu'est-ce que tu **fais** ?　–Je **fais** la cuisine.

君は何をしているの?　一料理をしているんだ。

Ils **font** du tennis le samedi.　彼らは毎週土曜日テニスをする。

le samedi　毎週土曜日

savoir 「〜を知っている、〜がわかっている、〜することができる」

	単数	複数
1人称	**je sais**	**nous savons**
2人称	**tu sais**	**vous savez**
3人称	**il sait**	**ils savent**
	elle sait	**elles savent**

- 英語の**know**に相当する動詞です。後に名詞を置くと「〜を知る、〜がわかる」、動詞（不定詞）を置くと「〜することができる」という意味になります。
- 活用形後半部は、多くの不規則動詞に共通の基本型です。（➡ p.202）

Tu **sais** l'adresse de Jean ? –Non, je ne **sais** pas.
ジャンのアドレス、知ってる？ —いや、知らないよ。

Elle **sait faire** du ski. 彼女はスキーができる。
不定詞
savoir + 不定詞（学習や訓練の結果として）〜することができる

prendre 「〜を取る、〜を食べる・飲む、（乗り物に）乗る」

	単数	複数
1人称	**je prends**	**nous prenons**
2人称	**tu prends**	**vous prenez**
3人称	**il prend**	**ils prennent**
	elle prend	**elles prennent**

- 英語の**take**に相当する動詞です。後に続く目的語により、さまざまな意味になります。

Je **prends** le petit-déjeuner. 私は朝食を取ります（食べます）。

Prenez-vous du vin ? ワインを飲みますか？

Nous **prenons** le métro. 私たちは地下鉄に乗ります。

＊動詞**apprendre**「〜を学ぶ」や**comprendre**「〜を理解する」の活用形は、**prendre**の活用形がベースになります。（**j'apprends, vous comprenez**など）

2 指示形容詞

A-42

「この～」「その～」「あの～」という意味の形容詞で、**名詞の性・数に合った形**があります。名詞の前につけます。

指示形容詞

	単数 （母音・無音のhの前）	複数
男性	**ce**（**cet**）	**ces**
女性	**cette**	**ces**

指示形容詞＋名詞

	単数	複数
男性	**ce livre** **cet arbre**	**ces livres** **ces arbres**
女性	**cette revue** **cette orange**	**ces revues** **ces oranges**

・**指示形容詞**は何かを指しながら話したり、また直前に話題に出たものやことについて話したりするときに用います。

Je prends **ce** menu.　（指で示しながら）私はこの定食にします。

menu 男 定食、コース料理、献立

C'est très bizarre, **cette** histoire.　すごく変だね、その話。

À noter

・指示形容詞は時を表す表現でよく用いられます。（➡**p.**212）

ce matin　今朝
ce soir　今晩
ce mois　今月
ce week-end　今週末
cet après-midi　今日の午後
cette semaine　今週
cette année　今年

・遠近の差を表す場合には、〈**指示形容詞＋名詞**〉の後に**-ci**（近）, **-là**（遠）をつけます。

Vous préférez **cette robe-ci** ou **cette robe-là** ?
あなたはこのドレスの方を好みますか、あるいはあのドレスですか？

3 代名詞 on

A-43

onは**主語として用いられる代名詞**で、主に３つの意味があります。動詞は、意味とは関わりなく常に**il**や**elle**と同じ３人称単数形を用います。

代名詞onの意味

① 私たちは（nousの代わりとして）

On prend un verre ?　飲みに行こうか?

② 人々は（不特定の複数人を指して）

À Montréal, on parle français et anglais.

モントリオールでは、フランス語と英語が話されている。

③ ある人が（不特定の1人を指して）

On frappe à la porte.　誰かがドアをノックしている。

À noter

- onを用いると、くだけた印象を与えます。また、onを主語にした疑問文は軽い誘いの表現として使えます。

On prend le même menu ?　同じ定食を取ろうか？

- 属詞にあたる形容詞などはonが指す対象の性や数に一致します。

On est fatigués.　私たちは疲れています。

＋もう少し学ぼう

A-44

◆ 動詞faireを用いる表現

- **faire le ménage**　掃除をする
- **faire la vaisselle**　皿洗いをする
- **faire des（les）courses**　買い物をする
- **faire**＋部分冠詞＋スポーツ名　（スポーツ）をする

Je fais du foot.
私はサッカーをする。

Elle fait de la natation.
彼女は水泳をする。

- **faire**＋部分冠詞＋楽器　（楽器）を弾く

Tu fais du piano ?
君はピアノを弾く?

Vous faites de la guitare ?
あなた（方）はギターを弾きますか？

1 音声を聞いて、聞こえたフランス語を空欄に書き入れ、対話文を完成しましょう。

A-45

(1) Qu'est-ce que ________________ ?

— ________________ des crêpes.

君たち何をしているの?　—クレープを作っているんだ。

crêpe 女 クレープ

(2) ________________ nager ?

— Non, ________________ nager.

君は泳げる?　—いや、泳げない。

nager 動 泳ぐ

(3) ________________ la photo ?

—Bonne idée !

写真撮ろうか?　—いい考えだね!

photo 女 写真

(4) Qu'est-ce que ________________ comme dessert ?

— ________________ de la glace.

君はデザートは何にする?　—アイスクリームにする。

comme 接 ～として　**dessert** 男 デザート　**glace** 女 アイスクリーム

(5) ________________ du foot aujourd'hui ?

— Non, ________________ à la maison.

今日彼らはサッカーをするのかな?　—いや、彼らは家にいるよ。

2 日本語の文に合うように空欄に適切な指示形容詞を書き入れ、文を完成しましょう。

(1) Je prends ______ train. 私はこの電車に乗る。

(2) Émilie aime beaucoup ______ acteur.
エミリはこの俳優が大好きだ。

(3) ______ élèves sont très actifs. この生徒たちはとても快活だ。
élève 名 生徒　**actif** 形 快活な

(4) ______ tarte n'est pas très bonne.
このタルトはあまりおいしくない。
tarte 女 タルト

3 次の日本語の文をフランス語に直しましょう。

(1) テレビを見ようか?（主語は**on**で） ―いいね（いい考え）!
テレビを見る：**regarder la télé**

______

(2) 私はこのセーターとこのスカートにします。（**prendre**を使う）
セーター：**pull** 男　スカート：**jupe** 女

______

(3) あなたはマルタン氏（**Monsieur Martin**）の携帯番号を知っていますか?
携帯番号：**numéro de portable** 男

______

(4) 今日の午後、エレーヌ（**Hélène**）はお菓子を作ります。
菓子：**gâteau** 男

______

解答は187ページ

第7課

動詞aller, venir・前置詞à, deと定冠詞の縮約

Je vais au cinéma. Tu viens avec moi ?

ぼくは映画に行くよ。君、一緒に来る?

これを理解しよう

- □ 動詞allerとvenir
- □ 前置詞à, deと定冠詞の縮約
- □ 近接未来形と近接過去形

これができる

- □ 行き先を伝えることができる。
- □ これからすること、したばかりのことを伝えることができる。

✵これから学ぶこと

- 「行く」という意味の**aller**と「来る」という意味の **venir**も使用頻度が高い重要動詞です。直説法現在の活用形を覚えましょう。どちらも**不規則動詞**です。→ ❶
- **前置詞à, de**の用法を学び、これらの**前置詞と一部の定冠詞が結びついた形(縮約)**について理解しましょう。→ ❷
- **aller**や**venir**を用いた表現、特にこれからすることや今したばかりのことを表す**近接未来形**と**近接過去形**について学び、会話で使えるようにしましょう。→ ❸

ディアログで学ぼう

授業を終えた学生たちが会話をしています。

A-46

A Je vais au cinéma. Tu viens avec moi ?

B Qu'est-ce que tu vas voir ?

A Le dernier film de Koreeda.

B Ah, dans ce cas-là, non. Je viens de voir ce film.

A：ぼくは映画に行くよ。君、一緒に来る?

B：何を見るつもりなの?

A：是枝（監督）の最新作（映画）だよ。

B：ああ、だったら行かない。その映画見たばかりだもの。

語注

□ **vais, vas**（<aller）動 行く、（+不定詞）〜するつもりだ、〜しに行く　□ **viens**（<venir）動 来る、（聞き手の方に）行く、（+**de**+不定詞）〜したばかりだ　□ **voir** 動 見る、会う（活用表 ➡ p.209）　□ **dernier, dernière** 形 最新の、最後の　□ **film** 男 映画作品　□ **dans** 前 〜において、〜の中に、で　□ **cas** 男 場合、状況 →**dans ce cas-là** その場合は

1 動詞allerとvenir

A-47

重要動詞allerとvenirの直説法現在形を覚えましょう。allerの語末はerですが、er動詞（➡第5課p.50）ではありません。allerもvenirも、どちらもとても不規則な活用形です。

aller「（〜へ）行く」

	単数	複数
1人称	**je vais**	**nous allons**
2人称	**tu vas**	**vous allez**
3人称	**il va**	**ils vont**
	elle va	**elles vont**

• 通常、行き先（目的地）を表す表現とセットで用います。

Vous allez à Paris ?　–Oui, je vais à Paris.

あなたはパリに行きますか？　—はい、私はパリに行きます。

venir「（話し手の方へ）来る、（聞き手の方へ）行く」

	単数	複数
1人称	**je viens**	**nous venons**
2人称	**tu viens**	**vous venez**
3人称	**il vient**	**ils viennent**
	elle vient	**elles viennent**

Tu viens avec moi ?　–Oui, je viens.

私と一緒に来る？　—うん、行くよ。

Maria vient de New York.

マリアはニューヨーク出身です（ニューヨークから来ている）。

2 前置詞à, deと定冠詞の縮約

A-48

フランス語のさまざまな前置詞の中でもàとdeは特によく使われます。

- 前置詞àの主な意味

〈行き先、居所、対象など（〜に、〜へ、〜で）〉

行き先 Vous allez à **Lyon** ? あなたは**リヨン**に行きますか？

居所 Ils travaillent à **Londres**. 彼らは**ロンドン**で働いています。

対象 Marie parle à **Paul**. マリーは**ポール**に話しかける。

〈手段、用途、所有・所属、特徴など（〜で、〜の入った、〜用の、〜の）〉

所有 Cette voiture est à **Julie**. その車は**ジュリー**のものだ。

特徴 J'aime la glace à **la vanille**. 私は**バニラ**のアイスクリームが好きだ。

- 前置詞deの主な意味

〈出発地、出身、起点など（〜から）〉

出身 Elle vient de **Lille**. 彼女は**リール**出身です（**リール**から来ている）。

〈所有・所属、材料、主題など（〜の、〜について）〉

所有 C'est le chien de **Didier** . これは**ディディエ**の犬だ。

主題 Je parle d'**Avignon**. 私は**アヴィニヨン**について話します。

＊ **de**は母音・無音の**h**の前でエリズィオンします。

- 定冠詞の縮約

前置詞àとdeは後に定冠詞leやlesが続くと合体して形が変わります。これを定冠詞の縮約と言います。縮約が起こるのは定冠詞**le**と**les**です。**la**と**l'**は変化しません。

	+le	+la	+l'	+les
前置詞 **à**	au	**à la**	**à l'**	aux
前置詞 **de**	du	**de la**	**de l'**	des

On va <u>au</u> cinéma ? 映画に行く？
×à le

J'achète une tarte <u>aux</u> pommes. 私はリンゴタルトを買う。
×à les

Tu as la clé <u>du</u> bureau ? 君はオフィスの鍵を持ってる？
×de le

Voici la salle <u>des</u> professeurs. ここが職員（教師）室です。
×de les

＊ **aux** や **des** は母音や無音の **h** で始まる語と [z] の音でリエゾンします。
Marie parle aux élèves. マリーは生徒たちに話しかけている。

3 近接未来形と近接過去形

A-49

aller を用いて**これからすること**を表す近接未来形、**venir** を用いて**今したばかりのこと**を表す近接過去形が作れます。

- **近接未来形**：aller ＋**不定詞**「（これから）～する、～するつもりだ」

Je vais **voir** ce film. 私はその映画を見るつもりだ。

- **近接過去形**：venir ＋ de(d') ＋**不定詞**「～したばかりだ、～したところだ」

Je viens de **voir** ce film. 私はその映画を見たばかりだ。

Ils viennent d'**arriver** à la gare. 彼らは駅に着いたところだ。

À noter

aller や **venir** に不定詞を続けると、次のような表現にもなります。

- aller ＋**不定詞**＋（目的地）「（…に）～しに行く」

Il va **acheter** des légumes au marché.
彼はマルシェに野菜を買いに行く。

- venir ＋**不定詞**「～しに来る」

Vous venez **voir** Marie ? あなたはマリーに会いに来ますか？

✚もう少し学ぼう

A-50

◆ 国名の前の前置詞

国名の前で使用する前置詞と定冠詞には特殊なルールがあります。国名が女性名詞、また母音や無音の**h**で始まるときに用いる**en**の後には冠詞はつけず、**de**の後の**la, l'** は省略します。(国名➡**p.**213)

～の国に	**au**	子音で始まる男性名詞の国名の前	au Japon
	en	女性名詞の国名の前 母音や無音の**h**で始まる国名の前	en France en Italie（イタリア）
	aux	複数名詞の国名の前	aux États-Unis （アメリカ合衆国）

～の国から	**du**	子音で始まる男性名詞の国名の前	du Japon
	de	女性名詞の国名の前	de France
	d'	母音や無音の**h**で始まる国名の前	d'Italie
	des	複数名詞の国名の前	des États-Unis

J'habite **au** Japon. 私は日本に住んでいます。

Elle étudie **en** France. 彼女はフランスで学んでいます。

Cet étudiant vient **des** États-Unis. この学生はアメリカ出身です。

◆ 行き先や居所を表す際に用いられる前置詞

・**en** 「～に(後続の名詞には冠詞はつけない)」

Nous allons **en ville**. 私たちは**街**に出かける。

・**chez** 「～の家に、～のところに(後に置くのは人のみ)」

Tu viens **chez moi** ? **私**のうちに来るかい?

・**dans** 「～の中に、～に」

Il entre **dans le café**. 彼は**カフェ**(の中)に入る。

1 音声を聞いて、聞こえたフランス語を空欄に書き入れ、対話文を完成しましょう。

A-51

(1) ＿＿＿＿＿＿ où ?

— ＿＿＿＿＿＿ à la bibliothèque.

どこに行くのですか？　—私は図書館に行きます。

où 副 （疑問）どこに　**bibliothèque** 女 図書館

(2) ＿＿＿＿＿＿ d'Italie ?

— Oui. Eux aussi, ＿＿＿＿＿＿ de Rome.

君はイタリア出身？　—そう。彼らも、ローマ出身だよ。

Rome 固有 ローマ

(3) Kana habite ＿＿＿＿＿＿ ?

— Non, elle habite ＿＿＿＿＿＿ .

カナはアメリカに住んでいるの？　—いや、カナダに住んでいる。

Canada 男 カナダ

(4) Tu cherches la clé ＿＿＿＿＿＿?

— Non. Je cherche la clé ＿＿＿＿＿.

君は家の鍵を探しているの？　—違う。オフィスの鍵を探しているんだ。

chercher 動 〜を探す　**clé** 女 鍵

(5) ＿＿＿＿＿ travailler ?　彼女はこれから仕事ですか？

— Non, ＿＿＿＿＿＿ rentrer.　—いえ、帰ってきたところです。

rentrer 動 帰る、戻る

2 日本語に合うように［　　］のリストから適切な語句を選び、空欄に書き入れ、文を完成させましょう。

(1) Julie aime le gâteau ＿＿＿＿＿＿ chocolat.

ジュリーはチョコレートケーキが好きです。

à	au	aux

(2) Cette étudiante vient ____________ Angleterre.

この学生はイギリス出身です。

d' de de l'

(3) Tu travailles ____________ maison cette semaine ?

君は今週家で仕事をしているの?

à à la aux

(4) Nous venons ____________ voir Marc.

私たちはマルクに会ったところです。

à de du

(5) Le chat est ____________ la cuisine ! 猫がキッチンの中にいる!

chez en dans

3 次の日本語の文をフランス語に直しましょう。

(1) 私たちは美術館に行くんだ。君たちも私たちと一緒に来る?

美術館:**musée** 男

____

____

(2) 私は学食で昼食を取ったところです。

昼食を取る:**déjeuner** 動　学食:**restaurant universitaire** 男

____

(3) エマ(**Emma**)は中国が好きです。今年彼女は中国に行くつもりです。

中国:**Chine** 女

____

____

解答は187ページ

第8課

動詞vouloir, pouvoir, devoir・所有形容詞

Tu ne veux pas jouer au tennis avec nous ?

私たちと一緒にテニスをしたくない?

これを理解しよう

- □ 動詞vouloir, pouvoir, devoir
- □ 所有形容詞

これができる

- □ 「誘う」「依頼する」「承諾する」「断る」など日常のコミュニケーションに必要なやりとりができる。
- □ 「私の〜」「あなたの〜」「彼の〜」というように、「人」や「もの」「こと」の所有者や所属先などを示しながら話すことができる。

これから学ぶこと

- 「〜できる、〜してもよい」という意味の**pouvoir**、「〜したい」という意味の**vouloir**、「〜すべきである」という意味の**devoir**。これらの動詞は、誘ったり、依頼をしたりするときに使える動詞です。円滑な対人コミュニケーションに役立つこれら3つの動詞について学び、会話で使えるようにしましょう。→ 1
- 「私の」「あなたの」「彼の」など、所有者や所属先などを表す**所有形容詞**の使い方を理解しましょう。→ 2

ディアログで学ぼう

キャンパスで友人たちが話をしています。

A-52

A Tu ne veux pas jouer au tennis avec nous ?

B Je veux bien, mais je ne peux pas. Je dois passer à la bibliothèque pour préparer mon examen.

A D'accord. Bon courage !

A：私たちと一緒にテニスをしたくない?

B：したい、でもできないよ。
試験の準備をするために図書館に寄らなくちゃならないんだ。

A：わかった。頑張って!

語注

□ **veux**（<vouloir）動 ～を欲する、(+不定詞)～したい　□ **jouer** 動 遊ぶ、(+**à**+スポーツ)（スポーツを）する　□ **tennis** 男 テニス　□ **peux**（<pouvoir）動（+不定詞）～することができる　□ **dois**（<devoir）動（+不定詞）～しなくてはならない　□ **passer** 動 通る、立ち寄る　□ **bibliothèque** 女 図書館　□ **pour** 前 ～のために、～に向けて　□ **préparer** 動 ～を準備する　□ **mon** 形（所有）私の　□ **examen** 男 試験　□ **accord** 男 同意 →**d'accord** 了解、わかった　□ **courage** 男 勇気→**bon courage** 頑張って

動詞vouloir, pouvoir, devoir

A-53

vouloir, pouvoir, devoirはフランス語では準助動詞と呼ばれ、後に動詞（不定詞）を置いて用いるという共通点があります。各動詞の直説法現在形と、文の組み立て方を覚えましょう。

vouloir 「〜が欲しい、〜したい」

	単数	複数
1人称	je veux	nous voulons
2人称	tu veux	vous voulez
3人称	il veut	ils veulent
	elle veut	elles veulent

- vouloirは英語のwantに相当する動詞です。〈vouloir + **不定詞**〉で「〜したい」という意味になります。また、〈vouloir + **名詞句**〉で「〜を欲する、〜が欲しい」という意味になります。

Elle veut apprendre le japonais.（apprendre：不定詞）
彼女は日本語を学びたがっている。

Tu veux du lait ?（du lait：名詞句）
君はミルクが要る（欲しい）？

pouvoir 「〜できる、〜してもよい」

	単数	複数
1人称	je peux	nous pouvons
2人称	tu peux	vous pouvez
3人称	il peut	ils peuvent
	elle peut	elles peuvent

• **pouvoir**は英語の**can**や**may**に相当する動詞です。〈**pouvoir** + **不定詞**〉で「～できる、してよい」という意味になります。

Il **peut** **venir** au bureau demain. 彼は明日会社に来ることができる。
(venir: 不定詞)

Je **peux** **rentrer** à la maison ? 帰宅してもいいですか？
(rentrer: 不定詞)

devoir 「～しなければならない、(否定で) ～してはならない」

	単数	複数
1人称	**je dois**	**nous devons**
2人称	**tu dois**	**vous devez**
3人称	**il doit**	**ils doivent**
	elle doit	**elles doivent**

• **devoir**は英語の**must**に相当する動詞で、〈**devoir** + **不定詞**〉で「～しなければならない」という意味です。また、〈**devoir** + 金銭などの名詞句 + **à** 人〉で「人に～を借りている」という意味になります。

Je **dois** **aller** chez le médecin. 私は医者に行かなくてはなりません。
(aller: 不定詞)

Je **dois** **50 euros** à Hugo. 私はユゴーに50ユーロ借りている。
(50 euros: 名詞句)

À noter

• 否定文は、準助動詞(活用形)を**ne**と**pas**ではさみ、不定詞を続けます。

Je **ne** peux **pas** jouer au tennis avec vous.
あなたたちと一緒にテニスをすることができません。

Vous **ne** devez **pas** rester ici. あなた方はここにいてはいけません。

• 倒置疑問文の場合は、主語と準助動詞(活用形)の順を入れ替えてから不定詞を続けます。

Pouvez-vous garder les enfants demain ?
明日、子守をすることはできますか？
garder 動 ～を守る、世話をする

2 所有形容詞

🔈 A-54

所有形容詞は、「私の〜」「あなたの〜」「彼の〜」というように、後に続く名詞の所有者や所属先などを表す形容詞です。
所有者の人称と**所有される名詞の性・数**に合った形があります。形と使い方を覚えましょう。

・**所有者が単数の場合**：所有される名詞の性と数に合う形がある

所有者＼所有される名詞	男性単数	女性単数（母音で始まる場合）	複数
私の	**mon**	**ma**（**mon**）	**mes**
君の	**ton**	**ta**（**ton**）	**tes**
彼の・彼女の	**son**	**sa**（**son**）	**ses**

Je prépare **mon** examen.（男性単数名詞） 私は（私の）試験の準備をする。

Ta sœur habite en Suisse ?（女性単数名詞） 君の妹はスイスに住んでいるの？

Il fait **ses** devoirs.（複数名詞） 彼は（彼の）宿題をしている。

・**所有者が複数の場合**：所有される名詞の数に合う形がある

所有者＼所有される名詞	単数	複数
私たちの	**notre**	**nos**
あなたの・あなた方の	**votre**	**vos**
彼らの・彼女たちの	**leur**	**leurs**

Leur fille étudie la littérature.（単数名詞） 彼らの娘は文学を学んでいる。

Leurs filles aiment le théâtre.（複数名詞） 彼らの娘たちはお芝居が好きだ。

＊ **mon, ton, son** と複数形の語末の **s** は、母音や無音の **h** で始まる語とリエゾンします。（**nos‿enfants**）

À noter

- 英語の**his**と**her**は所有者の性に合わせて使い分けますが、フランス語の**son**と**sa**は**所有される名詞の性**に合わせて用います。

Il voyage avec **sa** **mère**. （女性単数名詞） 彼は彼の母親と旅行する。

Elle voyage avec **son** **père**. （男性単数名詞） 彼女は彼女の父親と旅行する。

- フランス語では母音の衝突が好まれないので、母音または無音の**h**から始まる名詞の前では**ma, ta, sa**の代わりに**mon, ton, son**を使います。

Ce bus passe devant **mon** université. （女性単数名詞）
× **ma université**
このバスは私の大学の前を通ります。

- **votre**と**vos**は所有者が単数である可能性も複数である可能性もあります。通常、文脈で判断します。**son, sa, ses**「彼（女）の」、**leur, leurs**「彼（女）らの」の所有者の性別も文脈で判断します。

Votre enfant vient avec vous ?
あなた（方）のお子さんはあなた（方）と一緒に来るのですか？

もう少し学ぼう

A-55

◆ vouloir, pouvoir, devoirを用いたさまざまな表現

- **vouloir**や**pouvoir**の2人称（tuやvous）に対する疑問文や否定疑問文は、誘ったり依頼したりするときに使えます。

Tu ne **veux** pas jouer au tennis avec nous ? **誘い**
私たちと一緒にテニスをしない？（一緒にテニスをしたくない？）

Pouvez-vous fermer la porte, s'il vous plaît ? **依頼**
ドアを閉めていただけますか？（ドアを閉めることができますか？）

- **pouvoir**や**devoir**は何かを断るときの理由の説明に使えます。

Je suis désolé. Je ne **peux** pas rester ici. **不可能**
Je **dois** passer à la bibliothèque. **義務**
ごめんなさい。私はここにいることができません。図書館に行かねばならないんです。

1 音声を聞いて、聞こえたフランス語を空欄に書き入れ、対話文を完成しましょう。

A-56

(1) ________ de l'eau ?

— Oui, ________ bien. Merci.

お水が欲しいですか?

—はい、欲しいです。ありがとう。

(2) ________ essayer ?

— Oui, bien sûr.

試着していいですか?

—はい、もちろんです。

essayer 動 試す、試着する

(3) ________ prendre un café ?

— Désolée. ________ rentrer.

コーヒーを一杯飲まない?

—ごめんね、帰らなくちゃ。

(4) Mes amis veulent ________ en Espagne.

— Tu as de la chance !

________ voyager avec eux !

友人たちがスペインに行きたがっているんだ。

—君、運がいいな! 彼らと一緒に旅行できる!

Espagne 女 スペイン

(5) Pierre n'est pas là !

— Il est en ville avec ________ amie.

ピエールがいない!

—ガールフレンドと一緒に街にいるよ。

2 日本語に合わせて（　　）に適切な所有形容詞を入れ、文を完成しましょう。

（1）これはあなたの車ですか？　―いいえ、それは私の兄のものです。

C'est (　　) voiture ?
—Non, elle est à (　　) frère.

（2）今晩私たちは子どもたちと一緒にレストランに行く。

Ce soir, nous allons au restaurant avec (　　) enfants.

（3）ぼく、宿題をしなくてはならないんだ。

Je dois faire (　　) devoirs.

（4）君の靴、すごくきれいだね！

(　　) chaussures sont très jolies.

chaussures 女複 靴

3 次の日本語の文をフランス語に直しましょう。

（1）もう一度繰り返していただけますか？

繰り返す：**répéter** 動　　もう一度：**encore une fois**

______

（2）私の母は（彼女の）パスポートを探しています。

パスポート：**passeport** 男

______

（3）カフェに行かない？

―行きたい、けど行けない。学校に娘を迎えに行かなくちゃいけないの。

～を迎えに行く：**aller chercher ～**　　娘：**fille** 女　　学校：**école** 女

______

______

解答は188ページ

第9課

疑問形容詞quel・非人称のil

Quelle heure est-il ?

何時ですか?

これを理解しよう

- □ 疑問形容詞 quel
- □ 非人称のil

これができる

- □ 「どの～」「どんな～」と尋ねることができる。
- □ 時刻や天気を尋ねたり伝えたりすることができる。

これから学ぶこと

- 「どの～」「どんな～」と尋ねる際に使う**疑問形容詞quel**について学び、日常会話で使いこなせるようにしましょう。→ 1
- **形式的な主語として扱われる非人称のil**について理解しましょう。非人称の**il**は「～時だ」という時刻の表現や「天気がいい、悪い」など天気の表現をはじめ、日常的によく使われます。これらの表現を学びましょう。→ 2

ディアログで学ぼう

レストランで食事を終えたカップルが話しています。

🔈 A-57

A Quelle heure est-il ?

B Il est déjà onze heures.

A Oh là là, il est tard.

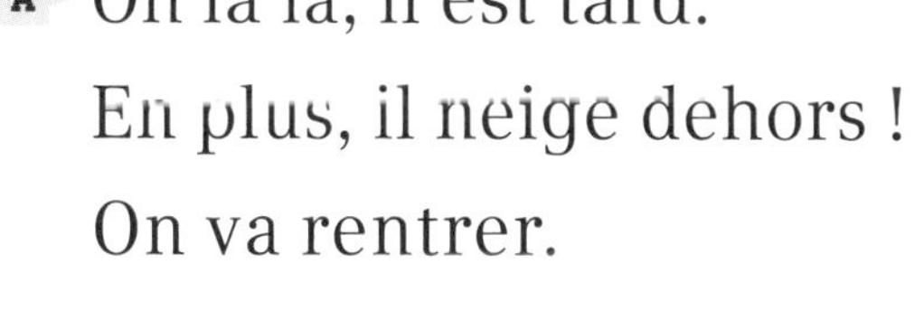

En plus, il neige dehors !

On va rentrer.

B Oui.

A：何時だい?

B：もう11時。

A：おやおや、遅くなったね。それに、外は雪が降ってる!　帰ろう。

B：ええ。

語注

☐ **quel/quelle** 形（疑問）どの、どんな　☐ **heure** 女 時間、時刻

☐ **déjà** 副 すでに　☐ **onze** 数 11の、11

☐ **oh là là**（驚いたとき、困ったときに）あれれ、おやおや

☐ **tard** 副 遅く、遅い時間に→**il est tard** 遅い時間だ、夜も更けた

☐ **en plus** さらに、その上　☐ **neige**（<neiger）動 雪が降る

☐ **dehors** 副 外では、外に

この課のポイント

1 疑問形容詞 quel

A-58

疑問形容詞quelは「どの〜」「どんな〜」と種類や選択肢について尋ねる場合や、時刻や天気を問う場合など、日常的に用いられます。**修飾する名詞の性・数に合った形**がありますが、**発音は全て同じ**です。

男性単数	女性単数	男性複数	女性複数
quel	**quelle**	**quels**	**quelles**

＊ **quels, quelles**は母音や無音の**h**から始まる語とリエゾンします。

- **付加形容詞**（➡第４課p.44）**として用いられる場合**：置かれる位置は**名詞の前**で、**名詞の性・数に一致**

女性単数形　女性名詞単数
Quelle heure est-il ?　–Il est onze heures.
何時ですか?　—11時です。

男性単数形　男性名詞単数
Quel temps fait-il à Paris ? –Il fait beau.
パリでは**どんな天気**ですか?　—いい天気です。

男性単数形　男性名詞単数
Votre fils a **quel âge** ?　–Il a cinq ans.
あなたの息子さんは**何歳**ですか?　—5歳です。

avoir ... an(s) 〜歳だ

- **属詞として用いられる場合**：置かれる位置は**文頭**（**être**の前）で、**主語**（**être**の後）**の性・数に一致**（意味は「どれ」「何」「誰」など）

男性複数形　男性名詞複数（文の主語）
Quels sont tes **chanteurs** préférés ? –J'adore Gainsbourg.
君の好きな歌手は**誰**?　—ゲンズブールが大好き。

男性単数　男性名詞単数（文の主語）

Quel est votre **numéro** de portable ?　–C'est le 06 01…

あなたの携帯番号は**何**ですか?　—06 01…です。

2 非人称のil

A-59

人称代名詞の**il**は形式的な主語として**非人称構文**と呼ばれる文の中で用いられます。この場合の**il**は**非人称で意味を持ちません**。日常会話でよく使用する非人称構文として、以下の表現を覚えましょう。

- **時刻を表す表現**（時刻の言い方➡**p.**85）

動詞être

Il est une heure dix.　（今）1時10分です。

- **天気を表す表現**

動詞faire

Il fait mauvais. 天気が悪い。　Il fait beau. 天気がいい。

Il fait chaud. 暑い。　Il fait froid. 寒い。

Il fait humide. じめじめしている。　Il fait doux. 暖かで気持ちがいい。

動詞pleuvoir

Il pleut.　雨が降っている。

動詞neiger

Il neige.　雪が降っている。

- **il faut「～が必要である、～しなければならない」**

〈Il faut ＋名詞句〉

Il **faut** un billet pour entrer.

入場するためにはチケットが必要です。

Il **faut** au moins une heure pour aller à l'université.

大学に行くのに少なくとも1時間かかる。

au moins 少なくとも

〈**Il faut** ＋動詞（不定詞）〉

Il **faut** prendre le métro pour arriver à l'heure.

時間通りに着くには地下鉄に乗らなければならない。

à l'heure 時間通りに

Il ne **faut** pas rester ici.　ここにいてはいけません。

- **il reste「〜が残っている」**

〈**Il reste** ＋名詞句〉

Il **reste** un œuf dans le frigo.　冷蔵庫には卵が1つ残っている。

Il ne **reste** rien dans le panier.　カゴの中には何も残っていない。

ne ... rien 何も〜ない（➡p.216）

- **il y a「〜がある、〜がいる」**

Il **y a** du sucre sur l'étagère.　棚に砂糖があります。

Il **y a** des étudiants devant la porte.　門の前に学生たちがいます。

À noter

- **il y a** の後には多くの場合、〈不定冠詞＋名詞〉または〈部分冠詞＋名詞〉が置かれます。

Il **y a** des œufs et du lait ?　卵と牛乳はあるかな？

- **il y a**の否定形は**il n'y a pas**です。多くの場合、後には〈否定の**de**（**d'**）＋名詞〉が置かれます。

Il **n'y a pas** de réunion cet après-midi.

今日の午後は会議がない。

もう少し学ぼう

A-60

◆「～時～分」など、時間に関する表現

- 「～時」は〈時刻を表す数＋heure(s)〉で表します。**heure(s)**の前ではリエゾンやアンシェヌマンなど発音上の変化が起こります。

1時 une heure　2時 deux heures　3時 trois heures
4時 quatre heures　5時 cinq heures　6時 six heures
7時 sept heures　8時 huit heures　9時 neuf heures
10時 dix heures　11時 onze heures　[v]の音になる
12時 douze heures　midi（昼の12時）　minuit（夜中12時）

- 「～分」は〈**分を表す数**〉で表します。「～時」の後に置きます。

6時5分 six heures **cinq**　13時30分 treize heures **trente**

＊電車の時間など時刻を正確に伝える必要がある場合は24時間制が用いられますが、日常的には12時間制が用いられ、特に以下のような表現が使われます。

午前7時	**sept heures du matin**
午後1時	**une heure de l'après-midi**
2時15分	**deux heures et quart**
5時半	**cinq heures et demie**
1時15分前	**une heure moins le quart**
夜中の12時5分前	**minuit moins cinq**

- 「～時に」は前置詞**à**、「～時頃」は**vers**を用います。

Le train arrive **à** vingt heures.　列車は20時に到着する。

Lise rentre **vers** quelle heure ?　リーズは何時頃戻るの?

- 「～時間／～分間」を表すときは、〈時間を表す数＋**heure(s)**／**minute(s)**〉を使います。

Il faut encore vingt **minutes** pour terminer ce travail.

この仕事を終えるためにはまだあと20分必要だ。

1 音声を聞いて、聞こえたフランス語を空欄に書き入れ、対話文を完成しましょう。

A-61

(1) __________ est-il ?

— Il est neuf ________ dix.

何時ですか?

—9時10分です。

(2) ________ temps ________ à Kyoto?

— ________ très chaud.

京都はどんな天気?

—とても暑いよ。

(3) __________ cette fleur ?

— C'est une sorte de lys.

この花は何ですか?

—ユリの一種です。

une sorte de 名詞句 ～の一種 **lys** 男 ユリ

(4) __________ vos projets d'avenir ?

— Je ne sais pas encore.

将来の計画は何ですか?

—まだわかりません。

projet 男 計画 **avenir** 男 将来 **ne... pas encore** まだ～ない (➡ **p.**216)

(5) __________ un bel oiseau sur la branche.

— Oui. Il est beau !

枝に美しい鳥が1羽いるよ。

—うん。きれいだね!

oiseau 男 鳥 **sur** 前 ～の上に **branche** 女 枝

2 日本語に合わせて空欄に適切な疑問形容詞を入れ、文を完成しましょう。

(1) 今日は何曜日だっけ？　—水曜日！

On est ________ jour aujourd'hui ?　— Mercredi !

jour 男 曜日、日

(2) どのタルトがいい？　—サクランボ のタルトがいいな。

Tu préfères ________ tarte ?

— Je préfère la tarte aux cerises.　**cerise** 女 サクランボ

(3) 何階にお住まいですか？　—1階（日本の2階に相当）です。

Vous habitez à ________ étage ?　**étage** 男 階

— Au premier étage.　**premier** 形 第1の、最初の（➡p.211）

3 次の日本語の文をフランス語に直しましょう。

(1) あなたはどんな辞書を持っていますか？

____

(2) デザートを準備するのに牛乳がいるんだけど！　—あ、牛乳はもうないよ！

デザート：**dessert** 男　あ：**oh** 間　もう〜ない：**ne...plus**（➡p.216）

____

____

(3) ニューヨークは天気がいいですか？　—いいえ、雪がたくさん降っていてとても寒いです。

たくさん：**beaucoup** 副

____

____

解答は188ページ

第10課

疑問副詞・ir動詞

Quand est-ce que tu finis ton mémoire ?

いつ論文を仕上げるの?

これを理解しよう

- □ 疑問副詞 quand, où, pourquoi, comment, combien
- □ ir動詞

これができる

- □ 疑問副詞を用いて時や場所など具体的なことについて質問することができる。
- □「たくさんの～」「いくつかの～」といった数量表現を用いることで、伝える情報の幅が広げられる。

これから学ぶこと

- 時や場所、理由や方法、また値段や数量について尋ねるときに用いる**疑問副詞quand, où, pourquoi, comment, combien**について学びましょう。→ 1
- **ir動詞**は、er動詞 (→第5課) と並ぶもうひとつの規則動詞です。ただし不定詞の語末が-irでも規則動詞ではないものもあるので注意が必要です。代表的な動詞の直説法現在形を覚えましょう。→ 2

ディアログで学ぼう

学生たちが夏の予定についておしゃべりをしています。

A-62

A Quand est-ce que tu finis ton mémoire ?

B Au début d'août.
Ensuite, je pars en vacances avec mon ami.

A Où allez-vous ?

B En Nouvelle-Calédonie !

A：いつ論文を仕上げるの?
B：8月の初め。そのあと彼氏とバカンスに出かけるの。
A：君たちはどこに行くんだい?
B：ニューカレドニアに!

語注

- ☐ **quand** 副 (疑問) いつ　☐ **finis** (<finir) 動 ～を終える、終わる
- ☐ **mémoire** 男 論文　☐ **début** 男 初め → **au début de...** ～の初めに
- ☐ **août** 男 8月　☐ **ensuite** 副 そのあとで、次に　☐ **pars** (<partir) 動 出発する
- ☐ **vacances** 女 (複数形で) バカンス、休暇 → **partir en vacances** バカンスに出かける
- ☐ **où** 副 (疑問) どこに、どこへ、どこで
- ☐ **Nouvelle-Calédonie** 固有・女 ニューカレドニア

この課のポイント

1 疑問副詞 quand, où, pourquoi, comment, combien A-63

フランス語には5つの疑問副詞があります。**quand**（いつ）、**où**（どこ）、**pourquoi**（なぜ）、**comment**（どのように）、**combien**（どれだけの）です。疑問副詞を用いた疑問文の基本的な形は以下の3つで、①と②は主に話し言葉、③は主に書き言葉や改まった会話に用います。

〈疑問副詞を用いる文の基本的な組み立て方〉

①主語＋動詞＋疑問副詞（疑問副詞＋主語＋動詞の順になる場合もあり）
②疑問副詞＋**est-ce que**＋主語＋動詞
③疑問副詞＋動詞‐主語（倒置疑問文）

- **疑問副詞quand：いつ**（時を尋ねる）

Anne revient **quand** de son voyage ?　–Demain.　……①

アンヌはいつ旅行から戻りますか？　—明日です。

Quand est-ce que tu finis ton mémoire ?　–Au début d'août.……②

君はいつ論文を仕上げるの？　—8月の初めだよ。

Quand partez-vous en vacances ?　–En juillet.　……③

あなたはいつバカンスに出かけるのですか？　—7月です。

- **疑問副詞où：どこに、どこへ、どこで**（場所を尋ねる）

Tu habites **où** ?　–J'habite à Lyon.　……①

君はどこに住んでいるの？ —リヨンに住んでいるんだ。

Où est-ce qu'il est ?　–Dans la salle de bain.　……②

彼はどこにいる？　—バスルームだよ。

Où allez-vous ?　–En Nouvelle-Calédonie.　……③

君たちはどこに行くの？　—ニューカレドニアに。

• **疑問副詞 pourquoi：なぜ**（理由を尋ねる）　＊疑問詞の位置は常に文頭

Pourquoi tu pleures ? –Parce que* maman n'est pas là. ……①

なぜ君は泣いているんだい？ —だって、ママがいないんだもの。

Pourquoi le directeur est-il en colère ? –On ne sait pas. ……③

なぜ所長は怒っているのですか？ —わかりません。

＊ **parce que**（**qu'**）は理由を言うための表現です。

• **疑問副詞 comment：どのように**（手段・方法・状態などを尋ねる）

Tu vas à l'école **comment** ? –En bus. ……①

君はどうやって学校に行くの？ —バスで。

Comment allez-vous ? –Je vais très bien, merci. ……③

お元気ですか？ —とても元気です、ありがとう。

• **疑問副詞 combien：どれだけの、いくら**（数量や値段を尋ねる）

Vous êtes **combien** ? –Nous sommes cinq. ……①

何名様ですか？ —5名です。

Combien ce sac coûte-t-il ? –120 euros. ……③

このバッグは、おいくらですか？ —120ユーロです。

• **combien de＋名詞：いくつの～**

Il faut **combien de** temps pour faire ce plat ? ……①

–Une demi-heure.

この料理を作るのにどのくらいの時間がかかりますか？ —30分です。

une demi-heure：30分間（1時間の半分）

Combien d'enfants avez-vous ? –J'ai deux filles. ……③

お子さんは何人ですか？ —娘が2人います。

2 ir動詞

🔈 A-64

不定詞の語末のつづりが-irで、規則的な活用をするir動詞の直説法現在の活用形を覚えましょう。

前 不定詞末尾の-rをとった部分

後 右の表参照

	単数		複数
1人称	-s	【無音】	-ssons [sɔ̃]（ソン）
2人称	-s	【無音】	-ssez [se]（セ）
3人称	-t	【無音】	-ssent [s]（ス）

＊ir動詞には、**finir**「〜を終える、終わる」、**choisir**「〜を選ぶ」、**grandir**「成長する、大きくなる」、**réfléchir**「熟考する」、**grossir**「太る」、**réussir**「成功する」、**vieillir**「老いる」などがあります。

finir「〜を終える、終わる」 前 **fini-**

	単数	複数
1人称	**je finis**	**nous finissons**
2人称	**tu finis**	**vous finissez**
3人称	**il finit**	**ils finissent**
	elle finit	**elles finissent**

Ce cours **finit** à midi.　この授業は正午に終わります。

Vous **choisissez** quel dessert ?　あなたはどのデザートを選びますか?

À noter

- **partir**「出発する」、**servir**「〜に仕える、〜に給仕する」、**sortir**「出る、出かける」、**dormir**「眠る」などは、不定詞の語末は-irでも、ir動詞ではありません。不規則動詞です。

partir「出発する」

	単数	複数
1人称	**je pars**	**nous partons**
2人称	**tu pars**	**vous partez**
3人称	**il part**	**ils partent**
	elle part	**elles partent**

dormir「眠る」

	単数	複数
1人称	**je dors**	**nous dormons**
2人称	**tu dors**	**vous dormez**
3人称	**il dort**	**ils dorment**
	elle dort	**elles dorment**

Elle **part** pour la France dimanche. 日曜に彼女はフランスに向けて発つ。

Ce bébé **dort** bien. この赤ちゃんはよく眠る。

もう少し学ぼう

A-65

◆ 数や量を表す表現

数や量を表す表現の後には名詞を置きますが、可算名詞の場合は複数形を、不可算名詞の場合は数えられないため単数形を置きます。

- 〈**quelques**+可算名詞：いくつかの〉

Il ne reste que **quelques** étudiants dans la salle de classe.

教室には幾人かの学生しか残っていません。

ne...que ～しか…ない（➡ **p.216**）

- 〈**plusieurs**+可算名詞：いくつもの〉

Il faut répéter **plusieurs** fois pour bien prononcer.

上手に発音するためには何度も繰り返さなくてはならない。

plusieurs fois 何度も

- 〈**beaucoup de** +可算名詞／不可算名詞：たくさんの～〉

Mon père achète **beaucoup de** livres.

私の父はたくさんの本を買う。

Il ne faut pas ajouter **beaucoup d'**huile.

オイルをたくさん加えてはいけません。

- 〈**assez de** +可算名詞／不可算名詞：十分な～〉

Est-ce qu'il y a **assez de** vin ? 十分な（量の）ワインはありますか?

- 〈**trop de** +可算名詞／不可算名詞：多すぎる数／量の～〉

J'ai **trop de** choses à faire.

私にはしなくてはならないことが多すぎます。

- 〈**un peu de** +不可算名詞：少しの～〉

Je veux **un peu de** sucre pour mon café.

コーヒーに砂糖が少し欲しいなあ。

1 音声を聞いて、聞こえたフランス語を空欄に書き入れ、対話文を完成しましょう。

A-66

(1) ＿＿＿＿＿＿＿＿ tu prends l'avion ?

— Dans ＿＿＿＿＿＿ jours.

飛行機に乗るのはいつなの?

—数日後です。

dans+期間　〜後

(2) Elle travaille ＿＿＿＿ ?

— ＿＿＿＿＿ une boulangerie ＿＿＿ Paris.

彼女はどこで働いているのですか?

—パリのパン屋さんで。

(3) On va ＿＿＿＿＿ en Belgique ?

— On prend le TGV de la Gare du Nord.

ベルギーにはどうやって行く?

—北駅からTGVに乗ろう。

TGV 男 フランス新幹線(**Train à grande vitesse**)

(4) Ça fait ＿＿＿＿＿ ?

— Ça fait 45 euros.

(全部で)おいくらになりますか?

—45ユーロになります。

(5) ＿＿＿＿＿＿ il ne dort pas ?

— ＿＿＿＿＿＿ il veut encore jouer.

どうして彼は眠らないの?

—まだ遊びたいからだよ。

2 日本語に合わせ、[　　] 内の動詞を適切に活用させて、文を完成しましょう。

（1）あなたはこの定食を選ぶのですか？ ―はい、これを選びます。[choisir]

Vous (　　　　　　) ce menu ?

— Oui, je (　　　　　　) ça.

menu 男 定食

（2）あなたはいつ学業を終えるのですか？ [finir]

Quand est-ce que vous (　　　　　　) vos études ?

études 女複 学業

（3）私たちは今日子どもたちといっしょに出かけます。[sortir]

Aujourd'hui, nous (　　　　　　) avec nos enfants.

3 次の日本語の文をフランス語に直しましょう。

（1）少しのハチミツといくつものリンゴが残っています。　ハチミツ：**miel** 男

____

（2）街には人が多すぎます。

人々（集合名詞）：**monde** 男　街には：**en ville**

____

（3）ジャン（**Jean**）はなぜ出発しないの？ ―彼の車がパンクしているからさ。

パンクしている：**être en panne**

____

____

解答は188ページ

第11課

複合過去形

Nous avons visité le château de Versailles.

私たちはヴェルサイユ宮殿を見学した。

これを理解しよう

- □ 複合過去形の用法
- □ 複合過去形の作り方（助動詞avoirと過去分詞）
- □ 複合過去形の作り方（助動詞êtreと過去分詞）

これができる

- □ 複合過去形を用いて「～した」「～があった」などと、過去にしたことや起こったことを述べることができる。

これから学ぶこと

- **複合過去形**はどのような場合に使うのかについて学びましょう。→ 1
- **複合形**である複合過去形の作り方を理解しましょう。複合形は**助動詞**と動詞の**過去分詞**を組み合わせます。フランス語の助動詞は**être**と**avoir**で、どちらを用いるかということがポイントになります。まずは**avoirを用いる動詞の活用形**と主な動詞の**過去分詞**も覚えましょう。→ 2
- 複合形を作る際には**avoir**を助動詞として用いる動詞が圧倒的に多いのですが、一部「移動を表す自動詞」など**être**を用いるものもあります。**助動詞êtreを用いる動詞とその活用形**を覚えましょう。→ 3

ディアログで学ぼう

日記につづられたある日の出来事です。

🔈 A-67

Aujourd'hui,
j'ai vu Yumi,
une amie japonaise.
Elle est arrivée en France il y a deux jours.
Nous avons visité le château de Versailles.
Le soir, nous sommes allées au restaurant et nous avons dîné ensemble.

今日、私は日本人の友人、ユミに会った。
彼女は2日前にフランスに着いた。
私たちはヴェルサイユ宮殿を見学した。
夜はレストランに行って、一緒に夕食を取った。

語注

- ☐ **aujourd'hui** 副 今日
- ☐ **vu** (<voir) 動 ～が見える、(人と)会う、～を理解する[過去分詞]
- ☐ **arrivé(e)** (<arriver) 動 到着する[過去分詞]
- ☐ **il y a**+期間 ～前に→**il y a ... jours** ～日前に
- ☐ **visité** (<visiter) 動 ～を訪れる、見物する[過去分詞]
- ☐ **château** 男 城
- ☐ **Versailles** 固有 ヴェルサイユ
- ☐ **soir** 男 夜、晩
- ☐ **allé(e)(s)** (<aller) 動 行く[過去分詞]
- ☐ **dîné** (<dîner) 動 夕食を取る[過去分詞]
- ☐ **ensemble** 副 一緒に

1 複合過去形の用法

🔈 A-68

「今日友人に会った」「週末テニスをした」というように、**過去にしたこと**や**起こったこと**を述べる場合には、**直説法複合過去形**を用います。また、「すでにフランスを訪れたことがある」というように、これまでの経験を述べる場合にも**複合過去形**を使います。

• 過去にしたこと、起こったこと「〜した」

🔈 Aujourd'hui, j'**ai vu** une amie. 今日私は友人に会った。

🔈 Nous **avons fait** du tennis ce week-end.

この週末私たちはテニスをした。

• 過去の経験「〜したことがある」

🔈 Hiro **a** déjà **visité** la France.

ヒロはすでにフランスを訪れたことがある。

déjà 副 すでに

2 複合過去形の作り方（助動詞avoirと過去分詞）

🔈 A-69

複合形は〈助動詞＋過去分詞〉で作ります。フランス語の助動詞はavoirまたはêtreです。どちらを用いるかは動詞によって決まっていますが、**多くの動詞はavoirを用います**。また、過去分詞（過分）もある程度作り方が決まっています。まずは過去分詞の作り方、次に助動詞として**avoir**を用いる動詞の複合過去形を見てみましょう。

過去分詞の作り方

• 各動詞の過去分詞の作り方を覚えましょう。

① er動詞と aller

不定詞の語末の-erを-éに替える

visiter : **visit~~er~~** ➡ 過分 **visité**
aller : **all~~er~~** ➡ 過分 **allé**

② 語末が-irのほとんどの動詞

不定詞の語末の-rをとる

finir : **fini~~r~~** ➡ 過分 **fini**
partir : **parti~~r~~** ➡ 過分 **parti**
dormir : **dormi~~r~~** ➡ 過分 **dormi**

③ ②以外の不規則動詞

不規則動詞のほとんどの過去分詞の語末は -u, -s, -t, -iのいずれかになります。主なものは以下の通りです。（その他の動詞は、動詞活用表で確認して覚えましょう（➡p203～p.209））

-u型 **avoir** ➡ 過分 **eu**
venir ➡ 過分 **venu**
voir ➡ 過分 **vu**
pouvoir ➡ 過分 **pu**
vouloir ➡ 過分 **voulu**
devoir ➡ 過分 **dû**

-s型 **prendre** ➡ 過分 **pris**

-t型 **faire** ➡ 過分 **fait**

-i型 **rire** 笑う ➡ 過分 **ri**

être → 過分 été

複合過去形（助動詞avoir）の作り方

• 助動詞にavoirを用いる動詞の複合過去形は〈**主語**＋**avoir**（直説法現在形）＋過去分詞〉となります。
動詞visiterの例を見てみましょう。

visiter「（～を）訪れる、見学する」**複合過去形**　過分 visité

	単数	複数
1人称	**j'ai visité**	**nous avons visité**
2人称	**tu as visité**	**vous avez visité**
3人称	**il a visité**	**ils ont visité**
	elle a visité	**elles ont visité**

Nous **avons** visité le château de Versailles.

私たちはヴェルサイユ宮殿を見学した。

J'**ai** vu Guillaume devant le cinéma.

私は映画館の前でギヨームに会った。

Mes parents **ont** pris le taxi pour aller à l'aéroport.

私の両親は空港に行くためにタクシーに乗った。

À noter

• 複合過去形の否定形は、助動詞をne（n'）とpasではさみます。否定文の作り方は助動詞が**avoir**のときも**être**のときも同じです。

Fabien n'a pas **visité** le musée du Louvre.

ファビアンはルーブル美術館を訪れなかった。

Je n'ai pas **pu** finir mes devoirs.

私は宿題を終えることができなかった。

 複合過去形の作り方（助動詞êtreと過去分詞） A-70

助動詞に**être**を用いる動詞は**「移動」を表す自動詞**です。まずは作り方を見てみましょう。

複合過去形（助動詞être）の作り方

- 助動詞に**être**を用いる動詞の複合過去形は〈**主語**＋**être**（直説法現在形）＋過去分詞（主語と性・数一致）〉となります。
  助動詞に**être**を用いる場合、過去分詞は主語と性・数一致させます。
  性・数一致の仕方は、形容詞と同じです。（➡第4課p.44）
  動詞**aller**の例を見てみましょう。

aller「（～に）行く」**複合過去形**　過分 allé

	単数	複数
1人称	**je suis** allé(e)	**nous sommes** allé(e)s
2人称	**tu es** allé(e)	**vous êtes** allé(e)(s)
3人称	**il est** allé	**ils sont** allés
	elle est allée	**elles sont** allées

男性　過去分詞はそのまま
Dimanche, **je suis** allé au cinéma.
日曜日、私（男性）は映画に行った。

女性　過去分詞＋e
Hier, **ma sœur n'est** pas allée à l'université.
昨日、私の妹は大学に行かなかった。

＊主語が**nous**の場合は性に、**vous**の場合は性・数に注意しましょう。

男性複数　過去分詞＋s
Jacques et moi, **nous** sommes allés au restaurant.
ジャックと私、私たちはレストランに行った。

女性複数　過去分詞＋e＋s
Vous êtes allées au théâtre ?
あなた方（女性）は劇場に行きましたか？

・「移動」を表す自動詞

aller 行く　　**venir** 来る

passer* 通る、立ち寄る

monter* 上がる、登る　　**descendre*** 過分 descendu 降りる

arriver 到着する、(出来事が) 起こる

partir 出発する　　**rester** とどまる

entrer 入る　　**sortir*** (外に) 出る、出かける

rentrer 帰る、戻る　　**revenir** 過分 revenu 戻ってくる

tomber* 落ちる、転ぶ

＊のついた動詞は、直接目的語（➡p. 201）をとる他動詞として用いられることもあります。その場合、助動詞は**avoir**を用います。

Hier soir, je <u>suis</u> **sortie**. sortirは自動詞

昨晩、私（女性）は出かけた。

J'<u>ai</u> **sorti** la poubelle. sortirは他動詞

私はゴミ箱を外に出した。

・助動詞にêtreを用いるその他の動詞

devenir (〜に) なる 過分 devenu　　**décéder** 亡くなる 過分 décédé

mourir 死ぬ 過分 mort　　**naître** 生まれる 過分 né

Notre fille **est née** en 2020.

私たちの娘は2020年に生まれた。

À noter

- 次のような副詞は通常、助動詞と過去分詞の間に置きます。数は多くありませんから覚えてしまうといいでしょう。

〈déjà：すでに〉
Ils sont **déjà** allés au Mont-Saint-Michel.
彼らはモン＝サン＝ミシェルにすでに行ったことがある。

〈bien：よく〉
Vous avez **bien** dormi hier soir ? 昨夜はよく眠りましたか？

〈trop：～すぎる〉
J'ai **trop** mangé. 私は食べすぎました。

〈ne... jamais：一度も～ない〉
Elle **n'a jamais** vu ce film. 彼女はこの映画を一度も見たことがない。

もう少し学ぼう

A-71

◆ 複合過去形とともに用いられる「時」を表す表現

昨日：**hier**

昨夜：**hier soir**

先週：**la semaine dernière**

～前：**il y a**＋期間　3日前：**il y a trois jours**

これらの表現は通常、文頭または文末に置かれます。

Hier, je suis passé devant la gare. 昨日、私は駅前を通った。

J'ai passé un examen **la semaine dernière**.
私は先週試験を受けた。

passé（＜**passer**）動（他動詞として）～を受ける、～を過ごす［過去分詞］

練習問題に挑戦しよう

1 音声を聞いて、聞こえたフランス語を空欄に書き入れ、対話文を完成しましょう。

A-72

(1) ________________ à la maison dimanche ?

— Non, ________________ .

彼女は日曜日、家にいたのですか?

—いいえ、彼女は出かけました。

dimanche 男 日曜日

(2) ________________ tes devoirs ?

— Oui, ________ beaucoup ________ .

宿題は終わったの?

—うん、よく勉強したよ。

(3) Qui ________ la cuisine ?

— C'est Papa.

誰が料理をしたの?

—パパだよ。

(4) ________________ le petit déjeuner ?

— Non, pas encore.

あなた方は朝食を食べましたか?

—いいえ、まだです。

(5) ________________ chez toi hier ?

— Oui, ________________ ensemble.

彼らは昨日君の家に来たの?

—うん、一緒に夕食を食べたよ。

ensemble 副 一緒に

2 各文を複合過去の文に書き換えましょう。

(1) Je suis étudiant. 私は学生です。

(2) Ma mère arrive à la gare. 母は駅に着く。

(3) Ils ont de la chance. 彼らは運がいい。

(4) Vous ne faites pas les courses. あなたは買い物をしない。

3 次の日本語の文をフランス語に直しましょう。

(1) 今日私の妻は病院に行きました。

妻: **femme** 女　病院: **hôpital** 男

(2) 私たちはそのパソコンを買いませんでした。

(3) いつ彼らは日本に戻ってきたのですか? —1週間前です。

1週間: **une semaine**

解答は188~189ページ

第12課

半過去形

Avant, j'allais souvent à la piscine.

以前、私はよくプールに行っていた。

これを理解しよう

- □ 半過去形の作り方
- □ 半過去形の用法（過去の状態や状況）
- □ 半過去形の用法（過去の習慣や反復行為）

これができる

- □ 「〜だった」「〜していた」などと過去の状態や習慣、継続して起こっていたことなどを述べることができる。
- □ 複合過去形と半過去形を用いて、過去について話したり書いたりすることができる。

これから学ぶこと

- **半過去形の活用形**を覚えましょう。→ ❶
- 半過去形の主な用法を理解しましょう。半過去形は「〜だった」というように**過去の状態や状況**について言う場合や、「〜していた」というように**過去において継続中、展開中だったこと**を言う場合に用いられます。「〜した」など、過去にしたことや起こったことを言う場合に用いる**複合過去形との使い分け**を確認しましょう。→ ❷
- 半過去形は「〜していた」「〜だったものだ」などと**過去の習慣や繰り返されていたこと**を言う場合にも使います。→ ❸

ディアログで学ぼう

友人同士の会話です。
A-73

A Tu fais toujours du sport ?

B Non...
Avant, j'allais souvent à la piscine.
Le week-end, je faisais du jogging dans un parc près de chez moi.
Mais maintenant, je n'ai plus le temps.

A：相変わらずスポーツをしている?

B：いや……。**以前はよくプールに行っていた。**
週末はうちのそばの公園でジョギングをしたものだよ。
でも今はもうそんな暇がないんだ。

語注

- □ **toujours** 副 いつも、常に、相変わらず　□ **avant** 副 以前は、前は
- □ **allais** (<aller) 動 行く [半過去形]　□ **souvent** 副 しばしば、よく
- □ **piscine** 女 プール　□ **week-end** 男 週末、ウィークエンド
- □ **faisais** (<faire) 動 ～する [半過去形]
- □ **jogging** 男 ジョギング → **faire du jogging** ジョギングをする
- □ **parc** 男 公園　□ **près** 副 近くに、そばに → **près de ...** ～の近くに、～のそばに
- □ **maintenant** 副 今は、今では　□ **ne ... plus** もう～ない
- □ **temps** 男 時間、天気 → **Je n'ai plus le temps.** それをするための時間がもうない。(そんな暇はもうない)

1 半過去形の作り方

A-74

直説法半過去形は、「(今は～だが以前は) ～だった」というように現在と対比しながら**過去の状態や状況**を述べたり、「～していた」「～したものだ」と、**習慣的に行ったことや、継続して起こったこと**について述べたりする場合に用いられます。まずは活用形の作り方から覚えましょう。

前 直説法現在形の「nous」の活用形**から語末の**-onsをとる

例 **aller : nous all~~ons~~ ⇒ 前all-**

faire : nous fais~~ons~~ ⇒ 前fais-

＊ただしêtreだけは例外：前ét-

後 全ての動詞に共通

	単数	複数
1人称	-ais [ɛ] (エ)	-ions [jɔ̃] (イオン)
2人称	-ais [ɛ] (エ)	-iez [je] (イエ)
3人称	-ait [ɛ] (エ)	-aient [ɛ] (エ)

aller 半過去形

	単数	複数
1人称	**j'allais**	**nous allions**
2人称	**tu allais**	**vous alliez**
3人称	**il allait**	**ils allaient**
	elle allait	**elles allaient**

faire 半過去形

	単数	複数
1人称	je faisais	nous faisions
2人称	tu faisais	vous faisiez
3人称	il faisait	ils faisaient
	elle faisait	elles faisaient

Chaque été, j'**all**ais à la plage avec mes parents.

毎年夏に私は両親と一緒に海に行っていた。

Avant, nous **fais**ions souvent du ski.

以前、私たちはよくスキーをしたものです。

- er動詞の変則型の活用では、nous と vous の活用形の前半部が他の主語の活用形の前半部と異なる場合があります。

manger「～を食べる、食事をする」半過去形

	単数	複数
1人称	je mangeais	nous mangions
2人称	tu mangeais	vous mangiez
3人称	il mangeait	ils mangeaient
	elle mangeait	elles mangeaient

＊ manger（活用表➡ p.209）

2 半過去形の用法（過去の状態や状況） A-75

半過去形は過去のある時点において完了せずに続いていたことを述べるときに用います。そのため「～だった」と過去の状態や状況を表したり、「～していた」と継続中、展開中だったことを表したりすることができます。次ページで具体的に見ていきましょう。

- **過去の状態・状況「～（という状態・状況・性質）だった」**

（よく使う動詞は**être, avoir, faire**など）

Hier, il **faisait** très mauvais et j'**avais** mal à la tête.

昨日は天気が非常に悪く、私は頭痛がしていた。

avoir mal à＋定冠詞＋体のパーツ　～が痛む、痛い

C'**était** comment, leur mariage ?

– C'**était** magnifique ! Il y **avait** du monde !

彼らの結婚式はどうだった？

―すばらしかったよ！ たくさんの人がいた！

- **過去のある時点において継続中・展開中だった出来事・行為「～していた、～している最中だった」**

Guy **préparait** le dîner quand Émilie est rentrée.

エミリが戻ったとき、ギーは夕食の準備をしていた。

quand 接 ～すると、～のとき、～の頃

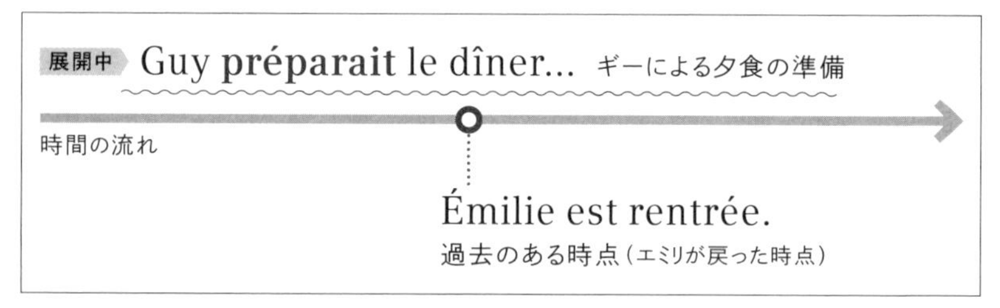

＊エミリが戻った時点を「過去のある時点」と捉えると、その時点においてギーによる夕食の準備は展開中であったということになります。この場合展開中だった夕食の準備は半過去形（線的なイメージ）、エミリの帰着は複合過去形（点的なイメージ）で表します。

3 半過去形の用法（過去の習慣や反復行為） A-76

半過去形は、「〜していた」「〜したものだ」というように**過去に習慣と**していたことや**繰り返し起こったこと**なども表します。

Avant, j'**allais** souvent à la piscine.

以前私はよくプールに行っていた。

Le week-end, je **faisais** du jogging.

週末はジョギングをしたものだ。

- 半過去形とともに**頻度や反復を表す表現**がよく用いられます。

〈toujours, tout le temps：いつも、常に〉

Avant, il **arrivait toujours** en retard.

以前彼はいつも遅刻していた。

〈tous les ..., toutes les...：毎〜〉

毎日	tous les **jours**	毎朝	tous les **matins**
毎晩	tous les **soirs**	毎週末	tous les **week-ends**
毎週	toutes les **semaines**	毎月	tous les **mois**
毎年	tous les **ans**		

Quand j'**étais** lycéen, je **prenais** du lait **tous les matins**.

高校生の頃、毎朝牛乳を飲んでいた。

〈souvent：しばしば、よく〉

Daniel **visitait souvent** ce vieux château.

ダニエルはよくその古城を訪れていた。

〈de temps en temps：ときどき〉

De temps en temps, ils **devaient** rentrer très tard.

ときどき彼らはとても遅い時間に帰らねばならなかった。

〈parfois, quelques fois：ときには〉

Mon père **prenait** parfois le taxi pour aller au bureau.

父は会社に行くのに時折タクシーに乗っていた。

À noter

- 〈**quand**＋複合過去形〉で「～した時」「～すると」という意味です。この場合の**quand**は「いつ」という疑問詞ではなく、2つの文を結びつける接続詞です（➡p.199）。

Quand nous **sommes arrivés** à l'arrêt, le bus partait.

私たちがバス停に着いた時、バスは出ようとしていた。

- 〈**quand**＋半過去形〉はある時期を表し、「～の頃」という意味になります。

状態　繰り返しの行為

Quand mon grand-père **était** jeune, il **voyageait** souvent en Europe.

若かった頃、私の祖父はよくヨーロッパを旅行していた。

Europe 女 ヨーロッパ

- 現在の対比として過去を語る場合にも半過去形は用いられます。

Avant, j'**allais** souvent à la piscine.

以前、私はよくプールに行っていた。

Maintenant, je ne vais plus à la piscine.

今はもうプールには行っていない。

Autrefois, il y **avait** beaucoup d'ouvriers dans cette ville.

かつてこの町には多くの労働者がいた。

Aujourd'hui, il n'y a plus beaucoup d'ouvriers.

今日ではもう労働者はあまりいない。

À cette époque, on ne **sortait** jamais du village.

その当時、人々は村から決して出なかった。

✚もう少し学ぼう

A-77

◆〈Si＋半過去形…?〉

誰かを誘ったり、何かを提案したりする表現として使えます。

Si on allait au café ?　カフェに行かない?

Si nous écoutions ce CD ?　このCDを聞きませんか?

◆背景描写の半過去形

半過去形は過去の行為や出来事の背景を描写するときに用いられます。
例えば下の例文では、「ドアを開け、外に出て、雪の中を歩く」というモーリスの過去の行為が複合過去形で表されています。「雪が降っていて、人っ子ひとりいない通りの静寂さ」は背景として半過去形で表されています。

Maurice a ouvert la porte. Il **neigeait**. Tout **était** calme. Il n'y **avait** personne dans la rue. Il est sorti et il a marché dans la neige.

モーリスはドアを開けた。雪が降っていた。静寂そのものだった。通りには誰もいなかった。彼は外に出て雪の中を歩いた。

◆半過去形と期間

半過去形はある時点において完了していない出来事や状態を表します。そのため、始まりと終わりが明確な期間を表す表現、例えば〈pendant＋期間〉（〜の間）や〈jusqu'à… 〉（〜まで）などとともに用いることはできません。その場合は複合過去形を用います。

Ils ont habité à Nice pendant 10 ans.

彼らは10年間ニースに住んでいた。
（継続して住んでいたが期間が限定されている）

Julie est restée au bureau jusqu'à minuit.

ジュリーは夜中まで会社に残っていた。
（「夜中まで」と終了が明確に示されている）

1 音声を聞いて、聞こえたフランス語を空欄に書き入れ、対話文を完成しましょう。

A-78

(1) ________ bon, ce gâteau ?

— Non, ________________ bon.

このお菓子、おいしかった?

—いや、おいしくなかった。

(2) Quand ____________ petit, ____________ où ?

— ____________ aux Pays-Bas.

君は幼い頃、どこに住んでいたの?

—オランダに住んでいたよ。

Pays-Bas 男複 オランダ

(3) ____________ quelques étudiants dans le couloir.

— Pourquoi ____________ là ?

廊下に数名の学生がいました。

—なぜ彼らはそこにいたんだろう?

(4) Avant ____________ les films américains ?

— Oui, ____________ souvent au cinéma.

あなた方は以前アメリカ映画が好きでしたか?

—はい、私たちはよく映画館に行っていました。

(5) Si ____________ du tennis ?

— Avec plaisir.

テニスしようよ。

—喜んで。

2 日本語に合わせて、[ ] 内の動詞を半過去形、または複合過去形にして、文を完成しましょう。

(1) 若かった頃、彼らはよくうちに来ていた。 [être, venir]

Quand ils ________ jeunes, ils ________ souvent chez moi.

(2) お風呂に入っていたら、電話が鳴った。 [prendre, sonner]

Je ________ un bain quand le téléphone ________ .

(3) 以前彼女は毎週末市場に行ったものだ。 [aller]

Avant elle ________ au marché tous les week-ends.

(4) 彼女はパン屋に寄ったが、バゲットはもう残っていなかった。

[passer, rester]

Elle ________ à la boulangerie mais il ne ________ plus de baguette.

3 次の日本語の文をフランス語に直しましょう。

(1) ぼくが部屋に入ると妹はラジオを聞いていた。

部屋に入る：**entrer dans la chambre** ラジオを聞く：**écouter la radio**

____

(2) 私の両親は大学生の頃、毎年京都を訪れていた。

両親：**parents** 男複 訪れる：**visiter** 動

____

____

解答は189ページ

第13課

目的語人称代名詞

Tu lui envoies un mail ?

彼にメールを送ってくれるかな?

これを理解しよう

- □ 直接目的語と間接目的語
- □ 目的語人称代名詞

これができる

- □ 文中の直接目的語や間接目的語を、必要に応じて人称代名詞に置き換えられる。
- □ 目的語人称代名詞を用いた文を理解することができる。

これから学ぶこと

- 直接目的語と間接目的語（→ p.201）を含む文の形と各目的語の特徴について理解しましょう。→ 1
- 目的語が「人」の場合、目的語人称代名詞を使うことができます。また目的語が「もの」や「こと」の場合も代名詞に置き換えることができます。直接目的語、間接目的語、それぞれに対応する目的語人称代名詞を覚え、文の中で使えるようにしましょう。→ 2
- 目的語人称代名詞を用いる際の文中での位置を覚えましょう。→ 2

ディアログで学ぼう

カップルがパーティーの招待客を検討しています。
A-79

A Tu connais Louis ?

B Non, je ne le connais pas.
C'est qui ?

A C'est le frère de Laurent. Lui aussi, il est très sympa.

B Alors on va l'inviter. **Tu lui envoies un mail ?**

A：ルイのことは知ってる?

B：いや、(彼のことは) 知らない。誰なの?

A：ロランの兄弟。彼も、とても感じがいいの。

B：じゃあ、彼を招待しよう。彼にメールを送ってくれるかな?

語注

☐ **connais** (<connaître) [動] (人や場所、事柄など) を知っている、(人と) 知り合う、面識がある (活用表➡**p.**208)　☐ **le** [代] (人称・直接目的語) 彼を、それを

☐ **lui** (ディアログ4行目) [代] (人称・強勢) 彼 → **lui aussi** 彼も

☐ **sympa** [形] (**sympathique**の略) 感じのいい、雰囲気のいい

☐ **alors** [副] それでは、それなら　☐ **inviter** [動] ～を招待する、～を食事に招く (おごる)

☐ **lui** (ディアログ6行目) [代] (人称・間接目的語) 彼に、彼女に

☐ **envoies** (<envoyer) [動] ～を送る→**envoyer** (A) **à** (B) (B)に(A)を送る (活用表➡**p.**209)

☐ **mail** [男] メール

【この課のポイント】

1 直接目的語と間接目的語

A-80

最もシンプルなフランス語の文は、〈主語＋動詞〉ですが、動詞によっては目的語をとらねばならないものがあります。目的語は通常、動詞の後に置かれるので、語順は〈主語＋動詞＋目的語〉となります。

- 目的語には直接目的語と間接目的語の2種類があります。

〈直接目的語を含む文〉

目的語である名詞句が動詞に直接続きます。

Alain **a** (動詞) **une veste bleue** (直接目的語). アランは青いジャケットを持っている。

Il **porte** (動詞) **cette veste** (直接目的語). 彼はそのジャケットを着ている。

porter 動 ～を身につけている

〈間接目的語を含む文〉

目的語である名詞句が **à** や **de** をはさんで動詞の後に置かれます。

Jean **téléphone** (動詞) **à Alain** (間接目的語). ジャンはアランに電話をかける。

Alain **parle** (動詞) **de sa veste** (間接目的語). アランは彼のジャケットについて話す。

〈直接目的語と間接目的語を含む文〉

直接目的語と間接目的語を両方含む文では、通常、直接目的語が間接目的語の前にきます。

Alain **prête** (動詞) **sa veste** (直接目的語) **à Jean** (間接目的語). アランは彼のジャケットをジャンに貸す。

prêter 動 ～を（人に）貸す

À noter

・動詞êtreの後に置かれるのは目的語ではなく属詞です。(➡p.199)

属詞
Alain est **étudiant**. アランは学生だ。

2 目的語人称代名詞

A-81

目的語として、「私」「私たち」「君」「あなた(方)」などを示す目的語人称代名詞を用いることができます。

- **目的語人称代名詞**は動詞の前に置きます。

Alain **te cherche**. アランは君を探しているよ。

・複合過去形の場合は助動詞(avoir, êtreの活用形)の前に置きます。

Tu **m'as téléphoné** ? 君、私に電話をかけた?

・代名詞でない目的語は動詞の後に置きますが、人称代名詞に置き換えると位置が変わります。

Vous **prenez** cette robe ? (目的語: cette robe) ―Oui, je **la prends**. (目的語人称代名詞: la)

このワンピースをお買い求めですか? ―はい、それにします。

- **目的語人称代名詞**には「直接」と「間接」の2種類があります。

直接目的語人称代名詞

私を(に)	**me(m')**	私たちを(に)	**nous**
君を(に)	**te(t')**	あなた(たち)を(に)	**vous**
彼・それを(に)	**le(l')**	彼ら・彼女たちを(に) それらを(に)	**les**
彼女・それを(に)	**la(l')**		

＊ **me, te, le, la**は母音・無音の**h**の前でエリズィオンします。

Tu vois les parents de Jules ? ―Oui, je les vois cet après-midi.

君は、ジュールの両親に会うのかい? ―ええ、私は今日の午後、彼らに会うの。

・**3人称**の直接目的語人称代名詞は**「人」も「もの」も**指します。

人を指す場合

Tu connais **Louis** ? —Oui, je le connais.

君はルイを知ってる? —うん、彼を知っているよ。

Tu aimes Louise ? —Oui, je l'aime.

ルイーズを愛してる? —うん、彼女を愛してる。

ものを指す場合

Vous avez pris **ce vin** ? —Oui, je l'ai **pris**.

あなたはこのワインを飲みましたか? —はい、それを飲みました。

間接目的語人称代名詞

私に(を)	**me(m')**	私たちに(を)	**nous**
君に(を)	**te(t')**	あなた(たち)に(を)	**vous**
彼・彼女に(を)	**lui**	彼ら・彼女たちに(を)	**leur**

・主に〈à + 人〉に代わる代名詞です。〈**à** + もの〉には代わりません。
・1人称と2人称は直接目的語人称代名詞と同じ形です。

Tu envoies un mail **à** Louis ? 君、ルイにメールを送ってくれる?
➡Tu **lui** envoies un mail ? 君、彼にメールを送ってくれる?

Vous **m'écrivez** ? —Oui, je **vous** écris.

私に手紙を書いてくださいますか? —はい、あなたに手紙を書きます。

écrire à + 人 〜に手紙を書く

Hélène **leur a donné** un cadeau. エレーヌは彼(女)らにプレゼントをあげた。

・**否定文と目的語人称代名詞**

否定文は、ne と pas で〈目的語人称代名詞＋動詞〉または〈目的語人称代名詞＋助動詞〉をはさみます。

Je **ne** le connais **pas**. 私は彼を知らない。

Il **ne t'a pas** répondu ? 彼は君に返信しなかったの?

répondu (<**répondre**) **à** + 人 〜に返事をする、返信する

À noter

- 直接目的語に不定冠詞（**un, une, des**）や部分冠詞（**du, de la, de l'**）がついている場合は直接目的語人称代名詞ではなく、中性代名詞という別の代名詞に置き換えます。（➡第16課）

✚もう少し学ぼう

A-82

◆ 目的語人称代名詞の語順

- 複合過去形など動詞が複合形で、直接目的語が代名詞として動詞より前に出ている場合、過去分詞は前に出ている直接目的語と**性・数一致させます。**

Tu as [**acheté**] **cette voiture** ? –Oui, je **l'ai** [**achetée**].

君はあの車を買ったの？　—うん、あれを買ったよ。

- ３人称の直接目的語人称代名詞は、次のような語順で間接目的語人称代名詞と同時に用いることができます。

	①	②	③	
主語＋（**ne**）＋	**me**	**le**	**lui**	＋動詞＋（**pas**）
	te	**la**	**leur**	＋助動詞＋（**pas**）＋ [過去分詞]
	nous	**les**		
	vous			

①+②の組み合わせ

Paul **t'**a [montré] **cette photo** ? –Oui, il **me l'**a [montrée].

ポールは君にその写真を見せたの？　—うん、彼は私にそれを見せてくれた。

②+③の組み合わせ

Tu donnes **ces fleurs à Marie** ? –Oui, je **les lui** donne.

君はマリにこれらの花をあげるの？　—うん、彼女にこれらをあげるんだ。

- **vouloir**や**pouvoir**など準助動詞を用いる文では、目的語人称代名詞は**動詞（不定詞）**の前に置かれます。

Tu veux inviter Paul ? –Oui, je veux **l'inviter**.

君はポールを招待したいの？　—うん、私は彼を招待したい。

1 音声を聞いて、聞こえたフランス語を空欄に書き入れ、対話文を完成しましょう。

🔈 A-83

(1) ＿＿＿＿＿＿ donnes ton numéro de portable ?

— Oui, ＿＿＿＿＿＿ donne mon numéro.

君の携帯の番号を私に教えてくれる?

—うん、教えるよ。

(2) Vous prenez ce train ?

— Oui, ＿＿＿＿＿＿ prenons.

あなた方はこの電車に乗るのですか?

—はい、それに乗ります。

(3) Elle ＿＿＿＿＿＿ téléphoné ?

— Non, elle ＿＿＿＿＿＿ téléphoné.

彼女はあなたに電話をしましたか?

—いいえ、彼女は私に電話をしてきませんでした。

(4) Pierre veut acheter ces livres ?

— Oui, ＿＿＿＿＿＿ acheter.

ピエールはこれらの本を買いたいのですか?

—はい、彼はそれらを買いたがっています。

(5) Elle envoie un paquet à ses parents ?

— Oui, elle ＿＿＿＿＿＿ ce paquet.

彼女は両親に小包を送るのですか?

—はい、彼女は彼らにこの小包を送ります。

2 下線部を代名詞に置き換え、全文を書き直しましょう。

(1) Julie ressemble beaucoup à sa mère.

ジュリーは母親にそっくりだ。

ressembler à 人 ～に似ている

(2) Cet étudiant a acheté cette tablette.

その学生はこのタブレットを買った。

(3) Vous allez prendre ce dessert ?

あなたはこのデザートになさいますか?

(4) Tu n'aimes pas beaucoup ta tante. ?

君はおばさんのことがあまり好きじゃないの? **tante** 女 おば

3 次の日本語の文をフランス語に直しましょう。

(1) 弟は私にクリスマスプレゼントをくれた。

クリスマスプレゼント: **un cadeau de Noël**

(2) 私は彼に私の自転車を貸す。 自転車: **vélo** 男

(3) 私はあなた方に私の夫を紹介します。

(A)を(B)に紹介する: **présenter** (A) **à** (B)　夫: **mari** 男

解答は189ページ

第14課

命令法

Attendez, je n'ai pas encore décidé.

待ってください、まだ決めていません。

これを理解しよう

□ 命令法

□ 命令法と目的語人称代名詞

これができる

□ 命令法を用いて、命令や依頼、勧誘やアドバイス、さらに禁止などを意味する命令文を作ることができる。

□ 命令文を使った指示を出すことができる。

これから学ぶこと

- 命令法（➡p. 200）という動詞の形について学びます。命令法が示すのは聞き手に対する「要求」で、命令や指示などを表しますが、状況によってはアドバイスやすすめなど、聞き手にとって役に立つ情報を伝えることもできます。また、依頼をする際にも使えます。➡ 1

- 命令法と人称代名詞を一緒に用いる場合の語順について学びましょう。➡ 2

ディアログで学ぼう

レストランで店員と客が注文に関するやりとりをしています。

A-84

A Avez-vous décidé ?
Qu'est-ce que vous choisissez ?

B **Attendez, je n'ai pas encore décidé.**
Dites-moi ! Quelle est votre spécialité ?

A：お決まりですか?
何をお選びになりますか?

B：待ってください、まだ決めていません。
教えてください！　おたくの自慢料理はどれでしょうか?

語注

- ☐ **décidé** (<décider) 動 (〜を) 決める、決定する [過去分詞]
- ☐ **attendez** (<attendre) 動 (〜を) 待つ [命令法] (活用表➡p.208)
- ☐ **ne...pas encore** まだ〜ない
- ☐ **dites** (<dire) 動 (〜を) 言う ➡ (à 人) 〜に言う、教える [命令法] (活用表➡p.208)
- ☐ **spécialité** 女 自慢料理、おすすめ

1 命令法

A-85

命令法とは、聞き手に**何らかの行動をとるように要求**したり（肯定命令文）、**とらないように要求**したり（否定命令文）する場合に用いられる動詞の形です。

• 命令法の人称は3種類です。

2人称単数	**tu**で話す相手（聞き手）に対する要求	命令・指示・アドバイスなど「～しなさい、～しろ、～して」
1人称複数	**nous**に対する要求	勧誘など「～しよう、～しましょう」
2人称複数	**vous**で話す相手（聞き手）に対する要求	命令・指示・アドバイスなど「～してください」

• 活用形の作り方は原則として、各動詞tu, nous, vousが主語の場合の**直説法現在形から主語を取り除く**だけです。動詞**attendre**を例に見てみましょう。

attendre「（～を）待つ」**直説法現在形**

	単数	複数
1人称	**j'attends**	**nous attendons**
2人称	**tu attends**	**vous attendez**
3人称	**il attend**	**ils attendent**
	elle attend	**elles attendent**

attendre **命令法**

2人称単数	**attends**	待ちなさい、待て
1人称複数	**attendons**	待とう、待ちましょう
2人称複数	**attendez**	待ってください

Attends ici ! ここで待ってて！

Attendons là-bas. Il va bientôt venir.

あっちで待とうよ。もうすぐ彼は来るだろうから。

Attendez. Je n'ai pas encore décidé.

待ってください。まだ決めていないのです。

- 直説法現在形の2人称単数（**tu**）の活用語尾が**-es**の動詞（**er**動詞や**aller, ouvrir**「開く」など）は、**2人称単数形の語末の-sを取って**命令法の活用形を作ります。

Tu **travailles** bien. ➡ **Travaille** bien.

君はよく働く。 よく働きなさい。

Tu **vas** chercher ton sac. ➡ **Va** chercher ton sac.

君はカバンを取りに行く。 カバンを取りに行きなさい。

- 例外的な活用形もあります。**être**と**avoir**の命令法を覚えましょう。

	être 命令法	**avoir** 命令法
2人称単数	**sois**	**aie**
1人称複数	**soyons**	**ayons**
2人称複数	**soyez**	**ayez**

＊ **savoir**と**vouloir**も例外的な活用形です。（➡ **p.**207）

Sois gentil avec ta petite sœur. 妹に優しくしなさい。

Ayons du courage. 勇気を持とう。

Soyez prudent, s'il vous plaît. どうか用心深くあってください。

- 依頼をするための表現**s'il vous plaît**（**tu**で話す相手には**s'il te plaît**）を命令文につけると、丁寧な言い方になります。

Entrez, **s'il vous plaît.** どうぞお入りください。

- 否定命令文は、活用形を**ne**と**pas**ではさみます。

Ne fumez **pas**. タバコを吸わないでください。

N'ouvre **pas** la porte ! ドアを開けないで！

Ne prenons **pas** ce bus. このバスに乗らないようにしよう。

2 命令法と目的語人称代名詞

A-86

命令法と目的語人称代名詞を組み合わせる場合、肯定命令文と否定命令文で語順が異なります。例えば、次の文を命令文にしてみましょう。

Tu lui donnes ce livre. 君は彼（女）にこの本をあげる。

- 肯定命令文の場合

命令法 - 間接目的語人称代名詞 直接目的語（名詞句）

Donne -lui ce livre. 彼（女）にこの本をあげなさい。

・人称代名詞の前にはハイフン「-」を置きます。また、肯定命令文では**me**は用いることはできません。代わりに強勢形の**moi**を用います。

Donne -moi ce livre. 私にこの本をちょうだい。

・３人称の直接目的語と間接目的語の両方を組み合わせる場合は次のような語順になります。

命令法 - ３人称の直接目的語人称代名詞 - 間接目的語人称代名詞

Donne -le-lui. それを彼（女）にあげて。

- 否定命令文の場合

Ne 間接目的語人称代名詞 命令法 pas 直接目的語（名詞句）

Ne lui donne pas **ce livre**. 彼（女）にこの本をあげないで。

・直接目的語と間接目的語の両方を含む場合は第13課**p.**121の語順と同じです。

Ne le lui donne pas. 彼（女）にそれをあげないで。

・否定命令文では**me**を用いることができます。

Ne me téléphonez pas. 私に電話しないでください。

✚もう少し学ぼう

A-87

◆ 動詞 dire

Dites-moi ! は相手に説明を求めるときに使える表現です。**dire** の活用形や表現を覚えましょう。

dire 「(～を) 言う」 **直説法現在形** 過去分詞 dit

	単数	複数
1人称	**je dis**	**nous disons**
2人称	**tu dis**	**vous dites**
3人称	**il dit**	**ils disent**
	elle dit	**elles disent**

dire **命令法**

2人称単数	**dis**	言いなさい、言って
1人称複数	**disons**	言おう、言いましょう
2人称複数	**dites**	言ってください

Qu'est-ce que tu **dis** ? 君は何を言っているの?

Paul leur a **dit** un mensonge. ポールは彼(女)らに嘘を言った。

Dites-moi la vérité. 私に本当のことを言ってください。

Dis-moi, quand tu reviens ? ねぇ、いつ君は戻ってくるの?

•「～する(しない)ように言う」: **dire + de + (ne pas) 不定詞**

Ma mère m'**a dit de passer** à la boulangerie.
母は私にパン屋さんに寄るように言った。

Dis-lui **de ne pas arriver** en retard.
彼(女)に遅刻しないように言ってね。

練習問題に挑戦しよう

1 音声を聞いて、聞こえたフランス語を空欄に書き入れ、対話文を完成しましょう。

A-88

(1) ________________ de l'eau, s'il te plaît.

— Voilà.

お水をちょうだい、お願い。

—どうぞ。

(2) ________________ bien.

— D'accord.

よく見て聞いてください。

—わかりました。

(3) ____________ ! Qu'est-ce que tu veux faire ?

— Je veux voir un film. ________ au cinéma !

教えて！　何をしたいの？

—映画が見たいな。映画に行こうよ！

(4) ________________ si fort.

— Et toi aussi, ________ calme !

そんなに大きな声で話さないで。

—君もだよ、落ち着いて！

parler fort 大声で話す

(5) ________ la vaisselle, s'il vous plaît.

— Entendu.

お皿を洗ってください。お願いします。

—了解です。

2 日本語に合うように命令文に書き直しましょう。

(1) Vous lui téléphonez ce soir. 今晩彼に電話をかけてください。

(2) Tu vas chez le médecin. 医者に行きなさい。

(3) Vous m'écrivez de temps en temps.
ときどき私に手紙を書いてください。

(4) Attention. Tu ne manges pas trop.
気をつけて。食べ過ぎないで。

3 次の日本語の文をフランス語に直しましょう。

(1) 一緒に出発して、タクシーに乗ろう。(命令法を用いて)

(2) 明日は朝食を取らないでください。8時に受付に来てください。
受付：**réception** 女

(3) 彼に家にいるように言ってください。 家にいる：**rester à la maison**

解答は189ページ

第15課

代名動詞・疑問代名詞

Le dimanche, tu te lèves à quelle heure ?

日曜日はいつも何時に起きるの?

これを理解しよう

- □ 代名動詞の活用
- □ さまざまな代名動詞
- □ 疑問代名詞

これができる

- □ 代名動詞を用いる表現を覚え、会話などで使うことができる。
- □ 疑問代名詞を用いて「何が」「何を」「誰が」「誰を」と尋ねることができる。

これから学ぶこと

- **代名動詞**は「自分自身」を表す**再帰代名詞**を伴う動詞です。代名動詞の活用の仕方を覚えましょう。→ 1
- **代名動詞の基本的な用法**を理解しましょう。また会話で使える代名動詞を覚えましょう。→ 2
- 「何が」「何を」や「誰が」「誰を」と尋ねるための**疑問代名詞**を覚え、会話で使えるようにしましょう。→ 3

ディアログで学ぼう

クラスメートが話をしています。

A-89

A Le dimanche,
tu te lèves
à quelle heure ?

B D'habitude, je me lève assez tard.
Mais dimanche dernier, je me suis
réveillé à 5 heures !

A Qu'est-ce qui s'est passé ?

A：日曜日はいつも何時に起きるの?
B：ふだんはかなり遅い時間に起きるよ。
でも、この前の日曜日は、5 時に目が覚めたんだ！
A：何があったの?

語注

□ **dimanche** 男 日曜日（曜日の表現➡p.211）

□ **te lèves, me lève**（<se lever）動（代名）起きる、立ち上がる

□ **habitude** 女 習慣 → **d'habitude** いつもは、ふだんは

□ **assez** 副 かなり、十分に

□ **dernier, dernière** 形 この前の（名詞の後で）、最後の（名詞の前で）

□ **réveillé**（<réveiller）動 目を覚まさせる［過去分詞］→ **se réveiller** 動（代名）目が覚める、起きる □ **qu'est-ce qui** 代（疑問）何が

□ **passé**（<passer）動 過ごす、超える［過去分詞］→ **se passer** 動（代名）起こる、過ぎる

1 代名動詞の活用

A-90

代名動詞とは、主語自身を指す目的語代名詞である**再帰代名詞**を伴う動詞です。そのため代名動詞は主語自身を動作の対象とする動詞となります。**再帰代名詞には主語に合った形**があります。

• 再帰代名詞の形を覚えましょう。

主語	再帰代名詞	主語	再帰代名詞
je	**me**（**m'**）	nous	**nous**
tu	**te**（**t'**）	vous	**vous**
il, elle, on	**se**（**s'**）	ils, elles	**se**（**s'**）

＊１人称、２人称の再帰代名詞は、目的語人称代名詞（➡第13課**p.** 119）と同じです。**３人称は性や数にかかわらずse**です。

＊**me, te, se**は母音や無音の**h**の前で**エリズィオン**します。

＊肯定命令文では**te**の代わりに強勢形の**toi**を使います。

• 代名動詞の活用形を見てみましょう。

se réveiller 「目を覚ます、起きる」直説法現在形

	単数	複数
1人称	je me **réveille**	nous nous **réveillons**
2人称	tu te **réveilles**	vous vous **réveillez**
3人称	il se **réveille**	ils se **réveillent**
	elle se **réveille**	elles se **réveillent**

Je réveille mon fils.　私は息子を起こす。

直接目的語人称代名詞

Je le réveille.　私は彼を起こす。

再帰代名詞

Je me réveille.　私は私を起こす。＝私は起きる。

再帰代名詞teに代わる人称代名詞強勢形

Réveille-toi.　起きて。

・代名動詞を用いる文は〈主語＋再帰代名詞＋**動詞**〉という順番で組み立てます。**réveiller**は**er**動詞ですから、**er**動詞の活用形になります。代名動詞の多くは**er**動詞です。ただし、**se lever**「起きる・立ち上がる」、**se rappeler**「〜を覚えている、思い出す」など、変則的な活用になるものも多くあります。

Tu **te** lèves à quelle heure ? –Je **me** lève à 8 heures.
君は何時に起きるの？ —私は8時に起きるよ。

・代名動詞の否定形は**ne**と**pas**で〈**再帰代名詞＋動詞**〉をはさみます。

Je **ne me rappelle pas** son nom. 彼(女)の名前が思い出せない。

• 代名動詞の複合過去形

代名動詞を複合過去形にする場合、助動詞は**être**を用います。再帰代名詞が動詞の**直接目的語の場合は過去分詞を再帰代名詞の性・数に一致させます。**

se réveiller 複合過去形

	単数	複数
1人称	je **me** suis **réveillé(e)**	nous **nous** sommes **réveillé(e)s**
2人称	tu **t'**es **réveillé(e)**	vous **vous** êtes **réveillé(e)(s)**
3人称	il **s'**est **réveillé**	ils **se** sont **réveillés**
3人称	elle **s'**est **réveillée**	elles **se** sont **réveillées**

Elles se sont réveillées tôt. 彼女たちは早い時間に目覚めた。

・否定形は**ne**と**pas**で〈**再帰代名詞＋助動詞**〉をはさみます。

Paul **ne** s'est **pas** levé à 6 heures. ポールは6時に起きなかった。

・**再帰代名詞が動詞の間接目的語の場合は過去分詞の性・数に一致は起こりません。**

Ils se (間接目的語) sont lavé **les mains** (直接目的語). 彼らは(自分たちの)手を洗った。

se laver +直接目的語 自分の〜を洗う

2 さまざまな代名動詞

A-91

代名動詞の主な用法は以下の通りです。

- **「(自分に) ～する」**：動詞の表す動作の対象が自分自身 (再帰的)

Il se présente. 彼は自己紹介をする (彼は彼自身を紹介する)。

Je m'achète un sac. 私は自分にバッグを買う。

- **「互いに～する、～し合う」**：主語が複数、**on**の場合 (相互的)

Ils se téléphonent. 彼らは電話をかけ合う。

- **「～される」**：主語がものの場合 (受動的)

Ça se mange, ce champignon ? このキノコ、食べられる？

- **「(自然に) ～する」**：主語がものの場合 (自発的)

La porte s'ouvre. ドアが開く。

- もとの動詞の意味とは異なる意味が生じている場合 (本来的)

Qu'est-ce qui s'est passé ? 何があったの？

次のような代名動詞も会話でよく使われます。

s'asseoir 座る

se dépêcher 急ぐ

s'habiller 服を着る

s'inquiéter (de～) ～のことを心配する

se marier (avec～) ～と結婚する

se moquer (de～) ～のことをからかう

se promener 散歩をする

se reposer 休憩する、休む

se souvenir (de～) ～のことを思い出す、覚えている

se tromper 間違える

se voir (自分の姿を) 見る、(主語が複数、または**on**) 会う、(ものが主語) 見える、わかる

3 疑問代名詞

A-92

「何が／誰が」「何を／誰を」を問う疑問代名詞には以下の形があります。

何が	誰が	話し方
qu'est-ce qui＋動詞	**qui est-ce qui**＋動詞	一般的
	qui＋動詞	一般的

Qu'est-ce qui s'est passé ? 　**何が**起こったの？

Qui est-ce qui veut de l'eau ? 　**誰が**お水を欲しいのですか？

Qui va chez Anne ? 　**誰が**アンヌの家に行くのですか？

何を	誰を	話し方
qu'est-ce que＋主語＋動詞	**qui est-ce que**＋主語＋動詞	一般的
que＋動詞－主語	**qui**＋動詞－主語	ていねい
主語＋動詞＋**quoi**	主語＋動詞＋**qui**	くだけた

Qu'est-ce que tu prends comme dessert ? 　デザートは**何に**する？

Que prenez-vous comme dessert ? 　デザートは**何に**しますか？

On prend quoi comme dessert ? 　デザートは**何に**しようか？

Qui est-ce que Julie regarde ? 　ジュリーは**誰を**見ているのですか？

Qui regardez-vous ? 　あなたは**誰を**見ているのですか？

Tu regardes qui ? 　君は**誰を**見ているの？

À noter

- **qu'est-ce qui, qui est-ce qui, qu'est-ce que, qui est-ce que** の判別のためには、最初の**q...**と2つ目の**q...**に注意しましょう。

  最初の**q...**：**qui**＝「誰」を問う／**que(qu')**＝「何」を問う
  2つ目の**q...**：**qui**＝「～が」（主語）／**que**＝「～を」（目的語）

1 音声を聞いて、聞こえたフランス語を空欄に書き入れ、対話文を完成しましょう。

🔊 A-93

(1) Le week-end, ________________ à quelle heure ?

— ________________ à huit heures.

週末は何時に起きるのですか?

—8時に起きます。

(2) Les enfants ________________ tard cette nuit ?

— Oui. Alors, ________________ très tard ce matin.

子どもたちは昨晩遅い時間に寝たの?

—うん。だから今朝はすごく遅い時間に目覚めたんだ。

se coucher 動 (代名) 寝る、横になる　**cette nuit** 昨晩

(3) ________________ comment ?

— ________________ Lucie.

お名前は何ていうの?

—リュシーっていうんだよ。

s'appeler 動 (代名) ～という名前だ

(4) ________________ se passe ?

— Je ________________ trompé de chemin !

何が起こってるの?

—道を間違えた!

chemin 男 道

(5) ________________ de temps en temps ?

— Non, ________________ contacte pas.

君たちはときどき電話をし合っているの?

—いや、連絡は取り合わない。

se contacter 動 (代名) 連絡を取り合う

2 日本語に合うように空欄に疑問代名詞を書きましょう。

（1）彼女は何を買うつもりなの?

____________________ elle va acheter ?

（2）誰がジャックと結婚するんだい?

____________________ se marie avec Jacques ?

（3）君は大学で何を学んでいるの?

Tu étudies ____________________ à la fac ?

fac 女 大学

（4）あなた方は誰を探しているのですか?

____________________ vous cherchez ?

3 次の日本語の文をフランス語に直しましょう。

（1）私の祖母は毎朝散歩します。

祖母：**grand-mère** 女　毎朝：**tous les matins**

____

（2）君、疲れてるんだよ。よく休みなさい。

疲れた：**fatigué** 形

____

____

（3）誰が君のことをからかうの?

____

解答は190ページ

第16課

中性代名詞・感嘆文

Elle m'en a parlé hier.

昨日彼女がそのことを私に話したの。

これを理解しよう

- □ 中性代名詞 le, en, y
- □ 中性代名詞を置く位置
- □ 感嘆文

これができる

- □ 中性代名詞le, en, yを用いた文を理解したり話したりすることができる。
- □ quelやqueを用いた感嘆文を使って感動や驚きを伝えることができる。

これから学ぶこと

- **中性代名詞**と呼ばれる3つの代名詞 **le, en, y**について学びましょう。中性代名詞はすでに話した内容や言った語を繰り返さないために用います。第13課で学んだ目的語人称代名詞との違いを理解し、必要に応じて使えるようにしましょう。→ 1
- 目的語代名詞と中性代名詞が同時に使われる場合の**代名詞の語順**を覚えましょう。→ 2
- 感動や驚きを伝えるための**感嘆文**について学びましょう。疑問文を作るときに用いた**que**や**quel**が感嘆詞としても用いられます。→ 3

ディアログで学ぼう

同僚たちが話をしています。話題は別の社員の結婚のことのようです。

A-94

A Tu sais, Céline va se marier avec Hugo.

B Vraiment ? Je ne le savais pas. Quelle surprise !

A Oui ! **Elle m'en a parlé hier.** Ils vont nous inviter à leur mariage.

A：ねえねえ、セリーヌがユゴーと結婚するのよ。

B：本当に？（そのことを）知らなかった。驚いたなあ！

A：そうね！ 昨日彼女がそのことを私に話したの。
彼らは私たちを結婚式に招待するつもりよ。

語注

□ **tu sais** ねえ（聞き手の関心を引きたいときに用いる）→ **vous savez**

□ **se marier** 動（代名）結婚する → **se marier avec...** ～と結婚する

□ **vraiment** 副 本当に、まさに □ **le** 代（中性）そのことを

□ **savais**（<savoir）動 知る［半過去形］

□ **quel / quelle** 形（感嘆）なんという、なんて～なんだ

□ **surprise** 女 驚き、思いがけないこと □ **en** 代（中性）そのことを、それについて、そこから

□ **parlé**（<parler）動 話す［過去分詞］→ **parler de ...** ～について話す
parler à 人 ～に話す □ **mariage** 男 結婚式、結婚

この課のポイント

1 中性代名詞 le, en, y

A-95

中性代名詞は**受けるものの性や数にかかわらず用いられる代名詞**です。目的語人称代名詞と同じように基本的には**動詞の前**（複合過去形の場合は助動詞の前）に置かれ、le, en, yの3種類があります。

- **中性代名詞**le：**文が示す内容**や**動詞（不定詞）**、主語の属詞として用いられる**形容詞（句）**、**名詞（句）**に代わります。

文の内容　Céline va se marier avec Hugo.
–Ah bon ! Je ne **le** savais pas.

セリーヌがユゴーと結婚するのよ。
—そうなんだ！　そのことを知らなかった。

不定詞　Tu veux vraiment partir ?
–Oui, je **le** veux.

君は本当に帰り（出発し）たいの？　—うん、そうしたい。

形容詞（句）　Ses œuvres sont magnifiques.
–Oui, elles **le** sont vraiment.

彼の作品はすばらしい。　—うん、本当にそうだね。

名詞（句）　Ils sont étudiants ? –Non, ils ne **le** sont pas.

彼らは学生ですか？　—いいえ、そうではありません。

- **中性代名詞**en：主に2つの用法があります。

① **〈前置詞de＋名詞（句）〉**または**〈前置詞de＋不定詞〉**に代わります。

de+名詞(句)(場所)　Vous venez de Lyon ? –Oui, j'**en** viens.

あなたはリヨンから来ていますか？　—はい、私は（そこから）来ています。

de＋名詞（句）　（名詞は「もの」「こと」を指す）

Elle a parlé de son mariage ? –Oui, elle **en** a parlé.

彼女は結婚について話した？　—ええ、そのことについて話したよ。

[de + 不定詞] Tu as envie <u>de sortir</u> ? –Oui, j'**en** ai envie.

君は出かけたいの?　—うん、そうしたい。

avoir envie de 不定詞 〜したい

②数量を表す代名詞として、〈**不定冠詞/部分冠詞 + 名詞（句）**〉や**数量表現のついた名詞（句）**に代わります。

[不定冠詞 + 名詞(句)] Tu as acheté <u>des œufs</u> ?–Oui, j'**en** ai acheté.

君、卵買った?　—うん、(それらを)買ったよ。

[部分冠詞 + 名詞(句)] Tu veux <u>du café</u> ? –Oui, j'**en** veux bien.

コーヒーいかが?　—ああ、(それが)欲しいな。

＊ **en** が数量表現のついた名詞（句）に代わる場合は、**動詞の後に数量表現**を置きます。

[数量表現 + 名詞(句)] Vous avez des enfants ? –Oui, j'**en** ai **deux**.
= J'ai **deux** <u>enfants</u>.

お子さんはいますか?　—はい、(子どもは)2人います。

• **中性代名詞** y : 〈**前置詞 à + 名詞（句）**〉に代わります。（通常、名詞は「場所」「もの」「こと」を指します）また〈**前置詞 dans / sur / en など + 場所を表す名詞（句）**〉に代わります。

[à+名詞(句)(場所)] Tu habites <u>à Paris</u> ?
–Oui, j'**y** habite depuis 3 ans.

パリに住んでいるの?　—うん、3年前から(そこに)住んでいる。

[dans+名詞(句)(場所)] Je peux entrer <u>dans la salle de classe</u> ?
–Oui, tu peux **y** entrer.

教室に入ってもいい?　—うん、入っていいよ。

[à + 名詞（句）] Vous pensez <u>à votre nouveau projet</u> ?
– Oui, j'**y** pense.

あなたは新しい計画について考えているのですか ?
—はい、(それについて)考えています。

penser à ... 〜について考える

2 中性代名詞を置く位置

🔈 A-96

中性代名詞を置く位置は、**目的語人称代名詞と同様**、基本的には動詞の前（複合過去形は助動詞の前）ですが、倒置疑問文や命令文（➡第14課p.128）では注意が必要です。

- **倒置疑問文：動詞（複合過去形の場合は助動詞）の前**

🔈 Il y a encore de la tarte. En **voulez**-vous ?
–Oui, J'en veux bien.

まだタルトが(いくらか)あります。(それを)欲しいですか？　—はい、(それを)いただきたいです。

- **肯定命令文**：ハイフン「-」をつけて**動詞（命令法）の後**

🔈 Je dois partir tout de suite. –**Vas**-y*.

私はすぐに出発せねばならない。　—どうぞ（行きなさい）。

＊yやenが2人称単数の命令形の後にくると、省略されたsが戻ります。×Va-y.

- **否定命令文：動詞（命令法）の前**

🔈 N'en **parlons** plus.

（そのことを）話すのはもうやめよう。

enやyを**目的語人称代名詞や再帰代名詞とともに用いる場合**は、これらの**代名詞の後**に置きます。

🔈 Vous vous occupez **de ce problème** ?
–Oui, nous **nous** en occupons.

再帰代名詞

あなた方はその問題に取り組んでいるのですか？
—はい、私たちは（それに）取り組んでいます。

s'occuper de～　～に取り組む、～の世話をする

🔈 Elle t'a parlé **de son mariage** ?
–Oui, elle **m'**en a parlé hier.

目的語人称代名詞

彼女は結婚のことについて君に話した？　—うん、彼女は昨日そのことを私に話したよ。

3 感嘆文

A-97

疑問文を作るときに用いたqueやquelを感嘆詞として用いて感嘆文を作ることができます。感嘆文の組み立て方を見てみましょう。文末には「!」を置きます。

• **queを用いた感嘆文**：**que**を文頭に置く。

On voit bien le mont Blanc. **Qu'il est magnifique !**

ここからモンブランが見える。なんてすばらしいんだ！

• **quelを用いた感嘆文**

①**名詞**と組み合わせます。

Quelle **surprise** !　驚いたなあ！（なんという驚き！）

surprise 女 驚き

②**名詞**に**形容詞**をつけることもあります。

Quel **bel appartement** !　なんて美しいアパルトマン！

（bel：形容詞）

③〈**quel + 名詞**〉が文の目的語や属詞として文頭に置かれます。

Quelle **chance** il a !　彼はなんて運がいいんだ！

chance 女 運

Quel **élève** sérieux il est !　彼はなんて真面目な生徒なんだ！

✚もう少し学ぼう

A-98

◆ その他の感嘆文

通常は「〜として、〜のように」という意味で使われる接続詞のcommeや、「何を」という意味の疑問詞qu'est-ce queを使って感嘆文を作ることもできます。

Comme il est gentil !　彼はなんて親切なんだ！

Qu'est-ce que c'est beau !　なんて美しいんだ！

1 音声を聞いて、聞こえたフランス語を空欄に書き入れ、対話文を完成しましょう。

A-99

(1) Henri est avocat ?

— Non, il ________________ pas. Il est médecin.

アンリは弁護士ですか?

—いいえ、そうではありません。彼は医師です。

(2) Vous avez des sœurs ?

— Oui. ________________ une.

あなたには姉妹がいますか?

—はい。1人います。

(3) L'année dernière, Hélène a voyagé en Angleterre ?

— Oui, ________________ restée pendant deux semaines.

去年エレーヌはイギリス旅行をしたのですか?

—はい、そこに2週間滞在しました。

(4) Donnez-moi des carottes.

— Je ________________ combien ?

ニンジンをください。

—どのくらい差し上げましょうか?

(5) ________________ grande maison !

— C'est vrai ! ________________ énorme !

なんて大きな家!

—本当だ! なんて巨大なんだ!

énorme 形 巨大な

2 [ ] 内の感嘆詞を用いて日本語に合った感嘆文を書きましょう。ただし感嘆詞は必要に応じてエリズィオンしたり、名詞に合った適切な形にしたりすること。

(1) なんて高いんだ、この車は! [qu'est-ce que]　　高い: **cher, chère** 形

________________________________, cette voiture !

(2) なんという美しさだ! [quel]　　美しさ: **beauté** 女

____

(3) なんておもしろいんだ、この映画は! [que]

____

(4) 彼はなんてよく働くんだろう! [comme]

____

3 次の日本語の文をフランス語に直しましょう。

(1) あなたは図書館で勉強しますか? ―はい、よく(そこで)勉強します。

____

____

(2) なんてすばらしい日だ!　　日: **journée** 女　　すばらしい: **magnifique** 形

____

(3) タローが今日私たちに会いにくるよ。 ―うん、そのことは知ってる。

____

____

解答は190ページ

第17課

比較級・最上級・指示代名詞

Ce vin est meilleur que celui-là !

このワインはそっちのよりもおいしい！

これを理解しよう

- □ 比較級
- □ 最上級
- □ 指示代名詞 celui, celle, ceux, celles

これができる

- □ 「～より…だ」「～の中で最も…だ」というように、何かと比較してその特徴を表現することができる。
- □ すでに話に出ているものについて「こちら/そちら/あちらのもの」を意味する指示代名詞を用いて話すことができる。

これから学ぶこと

- 「～より…だ」という**比較級**の作り方を学びましょう。「優等」「同等」「劣等」の３種類の比較級があります。→ ❶
- 「～の中で最も…だ」という**最上級**は比較級をベースにして作ります。２種類の最上級の作り方を学び、会話で使えるようにしましょう。→ ❷
- **指示代名詞**は何かと何かを比較をする場合や複数の中から何かを選ぶ場合によく用いられます。使い方を覚えましょう。→ ❸

ディアログで学ぼう

ワインカーヴを訪れたカップルがワインのテイスティングをしています。

B-01

A Ce vin est meilleur que celui-là !

B Tu crois ? Mais il est moins cher !

A Goûte un peu...

B Incroyable ! Qu'il est bon ! Il vaut mieux acheter celui-ci.

A：このワインはそっちの（ワイン）よりもおいしい！
B：そうかなあ？　でもそれは（そっちのワインほど）高価じゃないよ！
A：ちょっと飲んでみて……。
B：信じられない！　なんておいしいの！　こっちのを買った方がいいわね。

語注

- ☐ **meilleur, meilleure** 形（bon, bonneの優等比較級）よりよい、よりおいしい
- ☐ **que** 接 比較の対象の前で「～と比べると」という意味で用いられる
- ☐ **celui** 代（指示、-ciや-làとともに用いて）こちら（そちら、あちら）のもの・人 →**celui-ci** こちらのもの・人、**celui-là** そちら・あちらのもの・人
- ☐ **crois**（<croire）動 ～の言うことを信じる、～だと思う（活用表 ➡ p.208）
- ☐ **moins** 副（劣等比較級を作る）～ほど～でない、より少なく
- ☐ **cher, chère** 形 高価な、（値段が）高い
- ☐ **goûte**（<goûter）動 ～を味見する、味わう［命令法］　☐ **un peu** 副 少し
- ☐ **incroyable** 形 信じがたい　☐ **vaut**（<valoir）動 ～の価値がある
- ☐ **mieux** 副（bienの優等比較級）よりよく

この課のポイント

1 比較級

B-02

何かと比べて「より～だ」と言いたい場合は**比較級**を使います。フランス語には、程度が大きいことを表す**優等比較級**、程度が同じであることを表す**同等比較級**、程度が少ないことを表す**劣等比較級**の3種類があります。
まずは**形容詞**と**副詞**の比較級から見てみましょう。

形容詞と副詞の比較級の形

比較級を作るには、形容詞や副詞の前に以下のものをつけます。
・「…より～だ」と**優等を示す**plus（優等比較級）
・「…と同じくらい～だ」と**同等を示す**aussi（同等比較級）
・「…ほど～でない」と**劣等を示す**moins（劣等比較級）
比べる対象の前には接続詞que（qu'）を置きます。
形容詞や副詞で表す特徴の度合いが＋（プラス）であれば**plus**、＝（イコール）であれば**aussi**、－（マイナス）であれば**moins**と覚えましょう。

形容詞の比較級

Jean est **gentil**. ジャンは親切だ。

Jean est **plus gentil que** Paul. ジャンはポール**より親切だ。**
＝親切さの度合いはジャンの方がポールより上（＋）→ plus ... que ～

Anne est **aussi gentille que** Jean. アンヌはジャン**と同じくらい親切だ。**
＝親切さの度合いはアンヌとジャンで同じ（＝）→ aussi ... que ～

Paul et Louis sont **moins gentils que** Jean.
ポールとルイはジャン**ほど親切ではない。**
＝ポールとルイの親切さの度合いはジャンより下（－）→ moins ... que ～

副詞の比較級

Jean se lève **tôt**. ジャンは早く起きる。

Jean se lève **plus tôt que** Paul. ジャンはポール**より早く**起きる。

Anne se lève **aussi tôt que** Jean.
アンヌはジャンと**同じくらい早く**起きる。

Paul se lève **moins tôt qu'**Anne. ポールはアンヌ**ほど早く**起き**ない**。

特殊な比較級

- 「よい、おいしい」という意味の**形容詞**bon、「よく、上手に」という意味の**副詞**bienの優等比較級**は特殊な形**です。

bonの優等比較級：meilleur（女性形はe、複数形はsがつく）

女単 **meilleure** 男複 **meilleurs** 女複 **meilleures**

Ce vin-ci est **meilleur que** ce vin-là.
このワインは、あのワインよりおいしい。

Cette tarte est **meilleure que** ce gâteau.
このタルトはこのケーキよりもおいしい。

bienの優等比較級：mieux

Jean chante **mieux que** Paul. ジャンはポールより上手に歌う。

- **bon, bien**の**同等比較級や劣等比較級**は、他の副詞や形容詞と同様にaussi, moinsを使います。

Ces bonbons sont **aussi bons que** ces caramels.
このキャンディーはこのキャラメルと同じくらいおいしい。

Jean joue de la guitare **moins bien que** Paul.
ジャンはポールほど上手にギターを弾かない。

動詞や名詞が表す量の比較級の形

- 動詞が示す動作の量を何かと比較して言うこともできます。頻繁に（よく、たくさん）行われるかどうかの比較です。動詞の後に**plus / autant / moins**を置きます。

Anne **lit**. アンヌは本を読む。

本を読む：**lire**（活用形 ➡ **p.**209）

Anne **lit plus que** Sophie. アンヌはソフィーよりたくさん本を読む。

Paul **lit autant qu'**Anne. ポールはアンヌと同じくらい本を読む。

Sophie **lit moins que** Paul. ソフィーはポールほど本を読まない。

＊動詞の優等比較級を作る**plus**は語末の**s**を発音します。

- もの（名詞）の数量を比較することもできます。その場合、**plus de / autant de / moins de**の後に**名詞**を置きます。不可算名詞は単数形、可算名詞は複数形で用います。

Anne a **plus de livres que** Sophie.

アンヌはソフィーよりたくさんの本を持っている。

Jean a **autant de livres qu'**Anne mais **moins de dictionnaires qu'**elle.

ジャンはアンヌと同じくらいの本を持っているが彼女ほど辞書を持っていない。

＊〈**plus de**＋名詞〉では、**plus**の語末の**s**を多くの場合発音します。

À noter

- **接続詞queの後**に置かれる**人称代名詞**は強勢形です。

Ma sœur voyage plus que **moi**. 姉は私よりもよく旅行する。

2 最上級

B-03

「最も～だ」「最も～でない」という最上級は、比較級をもとに作ります。
比較範囲を表す「～のうちで、～の中で」には通常deを用います。

形容詞の最上級

- 「最も～だ」：定冠詞（le, la, les）+ plus + 形容詞

Julie est la plus **timide** de cette classe.

ジュリーはこのクラスで最も内気だ。

- 「最も～でない」：定冠詞（le, la, les）+ moins + 形容詞

Alain est le moins **sérieux** de cette classe.

アランはこのクラスで最も真面目でない。

- 付加形容詞の場合

Paul a acheté **le vin** le plus **cher** de la boutique.

ポールは店で最も高いワインを買った。

C'est la plus **grande tour** du monde.

これは世界で最も高い塔です。

＊**C'est la tour la plus grande du monde.** のように
通常は名詞の前に置く形容詞を名詞の後に置くことも可能です。

副詞の最上級

- 「最も～」：定冠詞le + plus + 副詞

Guy court le plus **vite** de son équipe.

ギーはチームの中で最も速く走る。 **équipe** 女 チーム

- 「最も～でなく」：定冠詞le + moins + 副詞

Thomas travaille le moins **sérieusement** de son groupe.

トマは彼の班の中で最も真面目に働かない。 **groupe** 男 班

特殊な最上級

- **bon, bien** も優等・劣等比較級に定冠詞をつけます。

🔈 Jacques travaille **le mieux de** son bureau.

ジャックは事務所で最もよく働く。

動詞や名詞が表す量の最上級

- 動詞が表す動作や名詞の量の最上級は、**plus** や **moins** の前に **le** をつけます。

🔈 Anne étudie **le plus de** sa classe.

アンヌは彼女のクラスで最も(たくさん)勉強する。

🔈 Hugo a **le plus de livres** dans son école.

学校ではユゴーが最も多くの本を持っている。

 指示代名詞 celui, celle, ceux, celles

🔈 B-04

指示代名詞は**すでに話に出ているもの(名詞)を受ける**代名詞です。**受ける名詞の性・数に合った形**があります。基本的な意味は「こちら(のもの)」「そちら(のもの)」「あちら(のもの)」です。

男性単数	女性単数	男性複数	女性複数
celui	**celle**	**ceux**	**celles**

この指示代名詞は第1課で学んだ指示代名詞 **ça** のように単独で用いることはできません。　例「それにします」○**Je prends ça.**　×**Je prends celui.**
そのため、主に次のようにして使います。

- **-ci, -là** と組み合わせる

遠近の差をつける場合、**-ci** を「近くのもの」、**-là** を「離れたもの」に用いますが、日常的には遠近は関係なく **-là** をつけて用いることが一般的です。

🔈 Ce vin est meilleur que **celui-là**.　　**celui = vin** 男単

このワインはそちら(のワイン)よりおいしい。

Il reste deux places. **Celle-ci** est plus chère que **celle-là**.

celle = place 女単

2席残っています。こちら（の席）はそちら（の席）より高額です。

• 〈**de + 名詞（句）**〉と組み合わせる

所有者や所属先を表す〈**de** ＋名詞（句）〉をつけると「～のもの・～の人」という表現になります。

Ce sont tes parents ? –Non, non, **ceux** de Fabien.

ceux = parents 男複

あれは君のご両親？　―いや、違う、ファビアンの（両親）だよ。

＋もう少し学ぼう

B-05

◆ bienの比較級mieuxを用いる表現

〈il vaut mieux ＋**不定詞**：～する方がいい〉

Il vaut mieux réserver cette place.

不定詞

この席を予約した方がいいです。

réserver 動 ～を予約する

〈aller mieux：よくなる、好転する〉

Ça va mieux ?　　よくなったかい？

〈de mieux en mieux：だんだんよく〉

Ce garçon joue **de mieux en mieux** de la guitare.

この少年はどんどん上手にギターが弾けるようになっている。

1 音声を聞いて、聞こえたフランス語を空欄に書き入れ、対話文を完成しましょう。

B-06

(1) Ton petit frère est ________________ toi ?

— Non, il est ________________ moi.

君の弟は君と同じくらい背が高いの?

—いや、彼はぼくよりも背が高いよ。

(2) Cette bière est ________________ celle-là.

— Mais non ! Elle est ________________ celle-là !

このビールはあっちのほどおいしくない。

—とんでもない!　あっちのよりおいしいよ!

(3) Qui étudie ________________ la classe ?

— C'est Louise. Elle est ________________ étudiante.

クラスの中で誰が最もよく勉強しますか?

—ルイーズです。彼女は最もよくできる学生です。

(4) Il y a ________________ étudiants aujourd'hui ?

— Oui, il y a ________________ étudiants qu'hier.

今日はたくさんの学生がいますか?

—昨日と同じくらいの学生がいます。

2 日本語に合わせて空欄に適切な指示代名詞（celui, celle, ceux, celles）を入れましょう。

（1）どちらの靴がお好みですか。こちら、それともあちらですか？

Quelles chaussures préférez-vous ? ________ -ci ou ________ -là ?

（2）この本はあちらのものよりも難しいです。

Ce livre est plus difficile que ________ -là.

（3）これがぼくの友人たち。で、あっちにいるのはポールの（友人たち）だよ。

Voici mes amis. Et là-bas, ce sont ________ de Paul.

3 次の日本語の文をフランス語に直しましょう。

（1）夫は私よりも早く家を出たが、私と同じくらい遅く戻った。

____

____

（2）ピエール（**Pierre**）はジャン（**Jean**）よりたくさん食べるが、彼ほど太っていない。

太っている：**gros** 形

____

____

（3）この女子学生はクラスの中で最も頭がいい。

頭がいい：**intelligent** 形

____

解答は190ページ

第18課

単純未来形・条件法現在形

S'il neige, on ne sortira pas.

もし雪が降るなら、出かけないことにしよう。

これを理解しよう

- □ 単純未来形
- □ 条件法現在形
- □ 仮定文

これができる

- □ 単純未来形を使って予定や予測を述べることができる。
- □ 条件法現在形を使って語調を和らげて話したり、現実に反することを仮定したりすることができる。

これから学ぶこと

- 予定を言ったり予測をしたりと、未来に起こることを伝えたい場合に用いる**単純未来形**の活用形と使い方（用法）を覚えましょう。活用形を覚える際には動詞**avoir**の直説法現在の活用形をベースにします。➡ 1
- 語調を和らげて話したり、「もし～なら」と仮定の話をしたりするときに用いる**条件法現在形**の活用形と使い方を覚えましょう。活用形は、単純未来形と半過去形の活用形がベースになります。➡ 2
- 「もし～なら…だろう」「もし～なら…だろうに」といった**仮定文**（➡p.197）の作り方を学びましょう。「…だろう」や「…だろうに」という部分（帰結）では**単純未来形**、**条件法現在形**を用います。➡ 3

ディアログで学ぼう

居間でくつろぎながら、カップルが翌日の予定について話しています。

B-07

A J'aimerais bien rester à la maison demain.

B Pourquoi ?

A Parce qu'il va sûrement neiger.

B Vraiment ? **S'il neige, on ne sortira pas.**

A：明日私はうちにいたいなあ。

B：なんで?

A：だって、絶対雪が降るでしょうから。

B：本当?　もし雪が降るなら、出かけないことにしよう。

語注

- ☐ **aimerais** (<aimer) 動 できれば〜したい［条件法現在形］→ **j'aimerais bien**+不定詞 〜したいのだけれど、できれば〜したいなあ
- ☐ **rester** 動 〜にいる、とどまる →**rester à la maison** 家にいる
- ☐ **pourquoi** 副 (疑問) なぜ　☐ **parce que** 接 なぜなら
- ☐ **sûrement** 副 きっと、確かに　☐ **neiger** 動 雪が降る → **il neige** 雪が降る
- ☐ **vraiment** 副 本当に　☐ **s'** (<si) 接 もし〜ならば
- ☐ **sortira** (<sortir) 動 出かける、外に出る［単純未来形］

1 単純未来形

🔈B-08

直説法単純未来形は予定を言ったり、予測をしたりと、未来に起こることを伝えたい場合に使います。活用形の作り方から覚えましょう。

前 **基本型**（多くの動詞）：不定詞の語末に最も近い**rの前**まで

例 **parler → parle-**　　**prendre → prend-**

特殊型（一部の動詞）：各動詞に決まった形がある（覚えましょう！）

例 **être → se-**　　**avoir → au-**

aller → i-　　**devoir → dev-**

envoyer → enver-　　**faire → fe-**

falloir → faud-　　**mourir → mour-**

pleuvoir → pleuv-　　**pouvoir → pour-**

savoir → sau-　　**valoir → vaud-**

venir → viend-　　**voir → ver-**

vouloir → voud-

後 全ての動詞に共通（**r** + **avoirの直説法現在の活用形**、ただし**nous**と**vous**は**av-**を除いた**ons, ez**）

	単数	複数
1人称	**-rai** [rɛ]	**-rons** [rɔ̃]
2人称	**-ras** [ra]	**-rez** [re]
3人称	**-ra** [ra]	**-ront** [rɔ̃]

・前半部と後半部を組み合わせて活用形を作ります。

prendre 単純未来形

	単数	複数
1人称	**je prendrai**	**nous prendrons**
2人称	**tu prendras**	**vous prendrez**
3人称	**il prendra**	**ils prendront**
	elle prendra	**elles prendront**

aller 単純未来形

	単数	複数
1人称	**j'irai**	**nous irons**
2人称	**tu iras**	**vous irez**
3人称	**il ira**	**ils iront**
	elle ira	**elles iront**

・その他の動詞も次のようになります。

parler : je **parlerai**　　**finir** : je **finirai**
être : je **serai**　　**avoir** : j'**aurai**
faire : je **ferai**　　**voir** : je **verrai**

・直説法単純未来形の主な用法

①予定していること、予測できること、するつもりであること

Nous **prendrons** le train de 7 heures demain matin.
私たちは明日の朝7時の電車に乗る予定だ。

Il **fera** beau cet après-midi.　今日の午後は天気がいいでしょう。

Je te **téléphonerai** ce soir.　今晩君に電話するからね。

② (2人称が主語) **相手に対する要求、指示、命令**

Tu as de la fièvre. Tu n'**iras** pas à l'école. Tu **resteras** au lit.

君は熱がある。学校には行かないようにしなさい。ベッドにいなくちゃね。

fièvre 女 熱→**avoir de la fièvre** 熱がある　**lit** 男 ベッド

2 条件法現在形

B-09

条件法現在形は、現実に反することを仮定して述べる場合に用いられます。まずは活用形から覚えましょう。

前 **単純未来形の前半部と同じ**

後 **すべての動詞に共通(r + 半過去形* の活用形後半部)**

	単数		複数	
1人称	**-rais**	[rɛ]	**-rions**	[rjɔ̃]
2人称	**-rais**	[rɛ]	**-riez**	[rje]
3人称	**-rait**	[rɛ]	**-raient**	[rɛ]

＊半過去形については第12課をご覧ください。

aimer 条件法現在形

	単数	複数
1人称	**j'aimerais**	**nous aimerions**
2人称	**tu aimerais**	**vous aimeriez**
3人称	**il aimerait**	**ils aimeraient**
	elle aimerait	**elles aimeraient**

vouloir 条件法現在形

	単数	複数
1人称	**je voudrais**	**nous voudrions**
2人称	**tu voudrais**	**vous voudriez**
3人称	**il voudrait**	**ils voudraient**
	elle voudrait	**elles voudraient**

・条件法現在形の主な用法

①**語調緩和**：要望や希望を和らいだ語調で伝える

Je **voudrais** un sandwich au jambon, s'il vous plaît.

すみません、ハムの入ったサンドウィッチが1つ欲しいんですけど。

J'aimerais bien rester à la maison demain.

明日私はうちにいたいなあ。

j'aimerais（bien）+不定詞 （できれば）～したい

Tu **pourrais** passer à la boulangerie ?

パン屋に寄ってもらえるかなあ？

②**過去における未来**

Il m'a dit que sa fille **irait** un jour en France.

彼は私に彼の娘がいつかフランスに行くだろうと言った。

dire à 人 que+主語+動詞 ～が…だと人に言う　**un jour** いつか

③**仮定文の帰結部**

「もし～なら…だろうに」という仮定の「…だろうに」の部分（帰結部）で用います。詳しくは次項で学びましょう。

3 仮定文

B-10

「もし〜なら…だろう」という未来の仮定や、「もし〜なら…だろうに」という現実に反する仮定を表す文を見てみましょう。

- **未来のことに関する仮定**（実現するかどうかは未定）

もし〜なら、…だろう： si + 直説法現在形 , 直説法単純未来形

Si elle **veut**, nous **voyagerons** ensemble.

もし彼女が望めば、私たちは一緒に旅行するでしょう。

S'il **fait** beau demain, Paul **sortira** avec ses enfants.

もし天気がよければ、ポールは子どもたちと出かけるだろう。

＊ **si** は後に **il, ils** が続くとエリズィオンします。

＊ **si...**（もし〜なら）は、必ずしも文頭に置く必要はありません。

On voyagera ensemble **si** tu **veux**.

よければ一緒に旅行しよう。

- **現在（事実）に反する仮定**（実現していない、しないこと）

もし〜なら、…だろう（に）： si + 直説法半過去形 , 条件法現在形

Si elle **voulait**, on **voyagerait** ensemble.

もし彼女が望むなら、一緒に旅行するんだけど。

（＝実際は彼女が望んでいないので、一緒に旅行しない）

S'il **faisait** beau, Paul **sortirait** avec ses enfants.

もし天気がよければ、ポールは子どもたちと出かけるだろうに。

（＝実際は天気がよくないので、出かけない）

À noter

・過去の事実と反する仮定文「もし～だったら、…だったのに」は、直説法大過去形と条件法過去形を用いて作ります。

もし～だったら、…だったろう(に): si + 直説法大過去形, 条件法過去形

＊直説法大過去形は〈助動詞(**avoir**または**être**)半過去形＋過去分詞〉で、条件法過去形は〈助動詞(**avoir**または**être**)条件法現在形＋過去分詞〉で表します。

S'il **avait fait** (直説法大過去形) beau, Paul **serait sorti** (条件法過去形) avec ses enfants.

もし天気がよかったら、ポールは子どもたちと出かけていただろうに。
(実際は天気がよくなかったので、ポールは子どもたちと出かけなかった)

もう少し学ぼう

B-11

◆ 未来のことを話す

単純未来形の他に、これまでに学習した直説法現在形や、近接未来形(➡第7課**p.** 68)でも未来を表すことができます。未来のことは確定しているわけではありません。話し手は話す内容の実現が**どの程度確実か**によってこの3つの形を使い分けることができます。

・**実現が確実**: 直説法現在形

Il **vient** à l'université demain.　明日彼は大学に来ます。

・**現在の状況が実現に結びつく(ほぼ確実)**: 近接未来形

Il fait tellement froid. Il **va neiger**.

すごく寒いね。雪が降るよ。

・**実現しない可能性を含む**: 単純未来形

Il **viendra** peut-être à l'université demain.

彼はおそらく明日大学に来るだろう。

peut-être おそらく、たぶん

1 音声を聞いて、聞こえたフランス語を空欄に書き入れ、対話文を完成しましょう。

B-12

(1) ____________ à quelle heure demain matin ?

— ____________ à 7 heures. Jacques ________ me chercher en voiture.

明日の朝、何時に出発するの?

—7時に出るつもり。ジャックが車で迎えに来る予定なの。

(2) ____________ à la gare à l'heure.

— D'accord. Je ________ sur le quai.

ぼくたちは時間通りに駅に着くよ。

—わかった。プラットホームにいるね。

à l'heure 時間通りに　**quai** 男 プラットホーム

(3) Maman, s'il pleut demain, qu'est-ce qu' ________ ?

— ________ chez mamie.

ママ、明日雨が降ったら何をするの?

—おばあちゃんちに行こうね。

mamie 女 おばあちゃん

(4) Ses parents ________ plus contents si Céline était là.

— Oui, s'il n'y avait pas de grève, ____________ passer le week-end avec eux.

もしセリーヌがいれば、彼女の両親はもっと喜ぶだろうに。

—ええ、もしストがなければ、彼女は週末を彼らと過ごせるのにね。

2 動詞を指示の通りに活用させ、空欄に入れましょう。

(1) vouloir［条件法現在形］　私はこの定食にしたいのですが。

Je ________ prendre ce menu.

(2) avoir［単純未来形］　彼の妹は1週間後15歳になるでしょう。

Sa sœur ________ 15 ans dans une semaine.

(3) pouvoir［条件法現在形］　ドアを閉めていただけるでしょうか?

Vous ________ fermer la porte ?

(4) savoir［単純未来形］　心配するな。明日全てを知ることになるだろう。

Ne t'inquiète pas. Tu ________ tout demain.

3 次の日本語の文をフランス語に直しましょう。

(1) 来年、私たちはカナダにいるでしょう。(nous, être単純未来形を用いて)

____

(2) もし私にお金があれば、パリで勉強するんだけどなあ。

お金がある：**avoir de l'argent**　勉強する：**faire ses études**

____

(3) あなた方は将来(今後)何をしたいですか?(aimer条件法現在形を用いて)

将来(今後)：**plus tard**

____

解答は190ページ

第19課

関係代名詞・強調構文

Je cherche la photo qu'on a prise au mariage de Julien.

ジュリアンの結婚式で撮った写真を探しているんだ。

これを理解しよう

- □ 関係代名詞 qui, que, dont, où
- □ 前置詞とともに用いる関係代名詞
- □ 強調構文

これができる

- □ 関係代名詞qui, que, dont, oùなどを使った文を作ることができる。
- □ 前置詞とともに用いる関係代名詞lequel, laquelle, lesquels, lesquellesを使って文を作ることができる。
- □ 強調構文を使ってインパクトを与える話し方ができる。

これから学ぶこと

- 関係代名詞qui, que, dont, oùの使い方を覚えましょう。関係代名詞を使うと2つの内容をまとめて1つの文にすることができます。どの関係代名詞を使うか、見極めのコツを学びましょう。→ 1
- 前置詞と組み合わせる関係代名詞lequel, laquelle, lesquels, lesquellesについて学びましょう。→ 2
- ある点を強調して伝えることのできる強調構文について学びましょう。→ 3

ディアログで学ぼう

スマホを見ながら友人たちが話をしています。
B-13

A Je cherche la photo qu'on a prise au mariage de Julien.
Il veut l'envoyer à sa tante qui vit aux États-Unis.

B Ah, c'est celle dont il parle souvent.

A Oui. Elle n'a pas pu y assister.

A：ジュリアンの結婚式で撮った写真を探しているんだ。
彼はアメリカに暮らすおばさんに（その写真を）送りたいんだって。

B：ああ、彼がしょっちゅう話題に出すおばさんね。

A：うん。彼女は（結婚式に）出席できなかったんだよ。

語注

- ☐ **qu', que** 代（直接目的語の役割の関係代名詞）～であるところの
- ☐ **pris（e）**（<prendre）動 ～をとる［過去分詞］　☐ **mariage** 男 結婚式、結婚
- ☐ **tante** 女 おば　☐ **qui** 代（主語の役割の関係代名詞）～するところの
- ☐ **vit**（<vivre）動 暮らす、生きる（活用表➡p.209）
- ☐ **celle** 代（指示・前出のものや人に代わる）その人、そのもの（➡第17課p.154）
- ☐ **dont** 代（前置詞deを含む関係代名詞）～の、～であるその
- ☐ **pu**（<pouvoir）動 ～できる［過去分詞］　☐ **assister**（à...）動 ～に出席する

この課のポイント

1 関係代名詞 qui, que, dont, où

B-14

関係代名詞を使うと、2つの文をまとめて1つの文にできます。例として次の文を見てみましょう。

文① Je téléphone à **Anne**. 私はアンヌに電話をかける。

文② **Anne** vit à Paris. アンヌはパリに暮らしている。

①②、どちらの文にも**Anne**が含まれています。この重複を利用して1つの文にします。

関係代名詞

Je téléphone à **Anne qui** vit à Paris.

私はパリに暮らすアンヌに電話をかける。

ここで用いられたquiは「**主語**」の役割をする**関係代名詞**です。理解を深めるために次の用語も覚えましょう。

関係節：関係代名詞から後に続く部分

先行詞：関係代名詞の前にある名詞句（関係代名詞が代わりをしている）

用いられる関係代名詞は、関係節においてどのような役割をするかによって決まります。関係代名詞**qui**, **que**, **dont**, **où**について、それぞれの関係節における役割を見てみましょう。

qui：主語（先行詞はもの・人）

Nous avons **une vieille voiture** qui roule bien.

先行詞 関係節

私たちはよく走る古い車を1台持っている。

Anne a envoyé ces photos à **Luc** qui vit en Italie.

先行詞 関係節

アンヌはイタリアに暮らすリュックにこれらの写真を送った。

que：直接目的語（先行詞はもの・人）

J'inviterai **Jean** que ta sœur voudrait voir.

先行詞 関係節

私は君の妹さんが会いたがっているジャンを招待するつもりだよ。

Je cherche **la photo** qu'on a prise au mariage.

先行詞　関係節

結婚式でぼくらが撮った写真を探している。

＊ **que**は母音と無音の**h**の前でエリズィオンし**qu'**となります。

＊関係代名詞が**que**（直接目的語）で、関係節の動詞が複合過去形の場合、過去分詞は先行詞の性と数に一致します。

la photo qu'on a **prise**　（la photo 女単 に合わせてpris**e**）

先行詞（女・単）　pris（prendreの過去分詞）+ e

dont：関係節の中の〈前置詞**de**＋名詞〉に代わる（先行詞はもの・人）

Je connais **Pauline**. + Le frère de Pauline est acteur.

Je connais **Pauline** **dont** le frère est acteur.

de + Pauline

私はお兄さんが俳優のポーリーヌを知っている。

C'est **cette personne**. + Il parle souvent de cette personne.

C'est **cette personne** **dont** il parle souvent.

de + cette personne

それは彼がよく話している人物だ。

parler de ～について話す

où：関係節の中の場所に代わる（先行詞は場所）

Il est parti pour **New York**. + Son oncle travaille à New York.

Il est parti pour **New York** **où** son oncle travaille.

à New York

彼は彼のおじさんが働いているニューヨークに向けて出発した。

＊ **où**は時に代わることもあります。（先行詞は時）

Jean se souvient du **jour** **où** il a rencontré Anne.

ジャンはアンヌに出会った日のことを覚えている。

se souvenir de ... ～を覚えている、～を思い出す

2 前置詞とともに用いる関係代名詞

B-15

関係代名詞は**前置詞とともに用いることができます**。前頁で見たように、関係節の中の〈前置詞**de**＋名詞〉に代わる関係代名詞は**dont**でした。それ以外の前置詞とはどのように結びつくのでしょうか？

- 関係節の中の〈**前置詞＋人**〉➡ 前置詞（**à, avec, pour** など）＋qui

Anne **à qui** j'ai téléphoné vit à Paris.

私が電話をかけたアンヌはパリに暮らしている。

Sophie **avec qui** Louis voudrait bien se marier est actrice.

ルイが結婚したがっているソフィーは女優です。

- 関係節の中の〈**前置詞＋もの**〉➡ 前置詞（**à, avec, pour, par** など）＋**lequel**など

関係代名詞**lequel**は先行詞の性・数に合った4つの形があります。

男性単数	女性単数	男性複数	女性複数
lequel	**laquelle**	**lesquels**	**lesquelles**

C'est la raison **pour laquelle** Hélène ne peut pas venir ici.

（Hélène ne peut pas venir ici pour cette raison.）

それがエレーヌがここに来ることができない理由です。

- 前置詞**à**と**lequel, lesquels, lesquelles**は合体して次の形になります。

à+lequel	à+laquelle	à+lesquels	à+lesquelles
auquel	**à laquelle**	**auxquels**	**auxquelles**

Le cours **auquel** nous assistons finira à 17 heures.

（Nous assistons au cours.）

私たちが出席している授業は17時に終わるでしょう。

3 強調構文

B-16

ある点を強調して伝えたい場合、2つの構文が使えます。何を強調するかによって使い分けます。

・**主語を強調する**

c'est～qui… 「…なのは～だ」

Daniel chante devant tout le monde.

➡ C'est **Daniel** **qui** chante devant tout le monde.

みんなの前で歌っているのはダニエルだ。

Je vais en Chine.

➡ C'est **moi** **qui** vais en Chine, ce n'est pas ma sœur !

中国に行くのは私で、姉ではありません！

＊ **c'est** の後に置く人称代名詞は強勢形です。

・**主語以外を強調する**

c'est～que… 「…なのは～だ」

J'adore **cette confiture**.

➡ C'est **cette confiture** que j'adore.

私が好きなのはこのジャムです。

Pierre a donné ce roman **à Guy**.

➡ C'est **à Guy** que Pierre a donné ce roman.

ピエールがこの小説をあげたのはギーです。

Nous nous sommes rencontrés **dans ce jardin**.

➡ C'est **dans ce jardin** que nous nous sommes rencontrés.

私たちが出会ったのはこの庭園です。

jardin 男 庭、庭園

1 音声を聞いて、聞こえたフランス語を空欄に書き入れ、対話文を完成しましょう。

B-17

(1) Avez-vous un autre modèle ________ coûte moins cher que celui-ci ?
— Voici un nouveau modèle ________ vous propose.

これほど高くない（もっと安い）別のタイプはありますか?
—こちらが私どもがあなたにおすすめできる新しいタイプです。

modèle 男 タイプ、型　**propose**（<proposer）動 すすめる

(2) Le restaurant ________________ dîné était très sympa.
— C'est ____________ Paul m'a parlé avant.

昨晩私たちが夕食を取ったレストランはとても感じがよかった。
—それは以前ポールが私に話したレストランね。

(3) Tu connais la personne ____________ Marie parle ?
— Oui, c'est son professeur.

マリーとしゃべっている人のこと知ってる?
—うん、彼女の先生だよ。

(4) Il reste beaucoup de problèmes ____________ il doit penser sérieusement.
— C'est la raison ____________ il ne dort pas bien ?

彼が真剣に考えねばならない問題がたくさん残っています。
—それが彼がよく眠れない理由ですか?

problème 男 問題　**sérieusement** 副 真剣に

2 下線部を強調するように強調構文の文に書き換えましょう。

(1) Mon fils adore ce dessin animé.

私の息子はこのアニメが大好きだ。

(2) Cet élève travaille le mieux de cette classe.

この生徒はこのクラスで一番よく勉強する。

(3) Je passerai les vacances chez mes grands-parents.

私は祖父母の家でバカンスを過ごす予定だ。

3 日本語訳に合うように適切な関係代名詞を用いて①と②の文を1つの文にしましょう。

(1) ① Où est la jupe ?　② J'ai acheté la jupe hier.

jupe 女 スカート

私が昨日買ったスカートはどこ?

(2) ① Marie va partir pour Lyon.　② Marie veut devenir danseuse.

devenir 動 〜になる　**danseur, danseuse** 名 ダンサー

ダンサーになりたいマリーはリヨンに向けて出発する予定だ。

(3) ① C'est le bébé de Sophie ?　② Tu t'occupes du bébé de Sophie.

s'occuper de〜　〜の面倒を見る

これが君が面倒を見ているソフィーの赤ちゃんなの?

解答は191ページ

第20課

接続法現在形

Il faut que je parte.

出発しなくてはならない。

これを理解しよう

- □ 接続法現在形
- □ 接続法を用いる表現

これができる

- □ 接続法現在形を使う表現を覚えて実際の場面で使うことができる。
- □ 感情や願望など心の動きを伝えることができる。

これから学ぶこと

- **接続法現在形**について学びましょう。接続法は話し手が伝えようとしていることが**話し手の主観**、つまり話し手が「**考えたこと**」であることを表します（動詞の法➡p.200）。そのため、「こうあってほしい」という**願望**や、「こうでなければならない」という**義務**や**必要性**、「こんなことがあったら心配だ」というような**危惧**、また「こういうことがうれしい、悲しい」というように**感情を伝える**表現で使われます。まずは活用形をしっかりと覚えましょう。→ 1

- **接続法を用いる表現**はあらかじめ決まっています。日常会話でよく使う表現は覚えてしまうといいでしょう。どのような表現が接続法を必要とするのかについて学びましょう。→ 2

ディアログで学ぼう

バカンスに出かける女性が隣人と話しています。
B-18

A **Il faut que je parte.**

B Oui, il vaut mieux que
tu te dépêches.
Il est possible qu'il pleuve.

A J'ai peur qu'il y ait du brouillard.

B Je te souhaite un bon voyage.

A Merci. Bonnes vacances à toi aussi !

A：(私は) 出発しなくてはならないわ。

B：うん、急いだ方がいいよ。雨が降るかもしれない。

A：霧が出るのではないかと心配だわ。

B：よい旅行になるように願っているよ。

A：ありがとう。あなたもよいバカンスをね!

語注

- □ **parte** (<partir) 動 出発する [接続法現在形]
- □ **te dépêches** (<se dépêcher) 動 (代名) 急ぐ [接続法現在形]
- □ **possible** 形 ありうる、可能な → **il est possible que**+接続法 〜かもしれない
- □ **pleuve** (<pleuvoir) 動 雨が降る [接続法現在形]
- □ **peur** 女 心配、恐怖、恐れ → **avoir peur que**+接続法 〜するのではないかと心配する
- □ **ait** (<avoir) 動 持っている [接続法現在形]　□ **brouillard** 男 霧
- □ **souhaite** (<souhaiter) 動 〜を願う、望む

この課のポイント

1 接続法現在形

B-19

接続法が表すのは、話し手が考えたこと、つまり話し手の主観です。そのため、**願望や義務、必要性を表すような表現**とともに用いられます。まずは接続法現在形の活用形を前半部（語幹）と後半部（語尾）に分けて見てみましょう。多くの動詞は同じ方法で活用形を作ることができますが、特殊なものがいくつかあります。

前 **基本型（多くの動詞）**：直説法現在形のilsの活用形の前半部と同じ

		直説法現在形	接続法現在形の前
例	parler	ils **parl**ent	**parl-**
	finir	ils **finiss**ent	**finiss-**
	partir	ils **part**ent	**part-**
	prendre	ils **prenn**ent	**prenn-**（nousとvousはpren-）

特殊型（一部の動詞）：日常会話でよく使う5つの動詞を覚えましょう。
（avoirとêtreも例外ですがp.180で取り上げます）

aller	基本的に	**aill-**（nousとvousはall-）
faire	全て	**fass-**
pouvoir	全て	**puiss-**
savoir	全て	**sach-**
pleuvoir	il **pleuve**（ilの活用形しかない）	

後 全ての動詞に共通 （avoir と être を除く）

	単数	複数
1人称	-e 【無音】	-ions [jɔ̃]（ィオン）
2人称	-es 【無音】	-iez [je]（ィエ）
3人称	-e 【無音】	-ent 【無音】

例として、いくつかの動詞の活用形を見てみましょう。

chanter「歌う」接続法現在形 前 chant-

	単数	複数
1人称	je chante	nous chantions
2人称	tu chantes	vous chantiez
3人称	il chante	ils chantent
	elle chante	elles chantent

partir 接続法現在形 前 part-

	単数	複数
1人称	je parte	nous partions
2人称	tu partes	vous partiez
3人称	il parte	ils partent
	elle parte	elles partent

prendre 接続法現在形 前 prenn-, pren-

	単数	複数
1人称	je prenne	nous prenions
2人称	tu prennes	vous preniez
3人称	il prenne	ils prennent
	elle prenne	elles prennent

aller 接続法現在形 前 aill-, all-

	単数	複数
1人称	j'aille	nous allions
2人称	tu ailles	vous alliez
3人称	il aille	ils aillent
	elle aille	elles aillent

＊nousとvousの活用形前半部が他と異なる動詞があります。
例：aller, boire, prendre, recevoir「受け取る」, venir, vouloirなど

＊er動詞変則型は、多くの場合nous, vousとそれ以外の活用形前半部が異なります。
例：J'achète... nous achetions, vous achetiez, ils achètent...

＊接続法現在のnousとvousの活用形は半過去形の活用形と同じです。

・avoirとêtreは上記の作り方とは異なります。

avoir 接続法現在形

	単数	複数
1人称	j'aie	nous ayons
2人称	tu aies	vous ayez
3人称	il ait	ils aient
	elle ait	elles aient

être 接続法現在形

	単数	複数
1人称	je sois	nous soyons
2人称	tu sois	vous soyez
3人称	il soit	ils soient
	elle soit	elles soient

2 接続法を用いる表現

🔈 B-20

接続法は接続詞queから始まる「節」(文の中に含まれている主語+動詞で成り立つ部分)で用いられます(➡p.199)。つまり**接続法が用いられるときには通常前にqueがある**ということになります。接続法は決まった表現でしか用いられないのでできるだけ覚えてしまいましょう。

・**願望、要求、義務、必要性、可能性**を表す表現

〈vouloir que + **接続法:~を望む、~であってほしい**〉

🔈 Je **veux que** vous y **arriviez** sans problème.

私はあなた方が無事にそこに到着してほしいです。

〈Il faut que + **接続法:~しなければならない**〉

🔈 **Il faut que** je **parte**.　私は出発しなくてはならない。

〈Il vaut mieux que + **接続法:~する方がいい**〉

🔈 **Il vaut mieux que** tu te **dépêches**.　君は急いだ方がいい。

〈Il est possible que + **接続法:~かもしれない**〉

🔈 **Il est possible qu'**il **pleuve**.　雨が降るかもしれない。

〈souhaiter que + **接続法:~を願う**〉

Nous **souhaitons que** tu **fasses** un bon voyage.

私たちは君がよい旅をすることを願っている。

・「うれしい」「悲しい」などの**感情、危惧、後悔、疑念**を表す表現

〈être content que＋**接続法：～がうれしい、～に満足している**〉

Je **suis content qu'**il **vienne** me voir.

彼が私に会いに来てくれるのがうれしいです。

〈avoir peur que＋**接続法：～が心配だ、～を恐れる**〉

J'**ai peur qu'**il y **ait** du brouillard.

霧が出るんじゃないかと心配だ。

・**penser**「～だと思う、考える」、**croire**「～だと信じる、思う」など、**主張したり意見を述べたりする動詞を否定や疑問の形で用いる場合**

〈penser 否定形 que＋**接続法：～と思わない**〉

Je **ne pense pas qu'**on **puisse** arriver à l'heure.

私たちが時間通りに着くことができるとは私は思わない。

〈croire 疑問形 que＋**接続法：～と思っているか？**〉

Croyez-vous qu'elle **réussisse** son examen ?

あなたは彼女が試験に合格すると思っていますか？

・**目的や時間的な制限や譲歩を表す表現**

〈jusqu'à ce que＋**接続法：～まで**〉

Pourrais-tu rester ici **jusqu'à ce qu'**il **revienne** ?

彼が戻ってくるまでここにいてくれるかな？

〈pour que＋**接続法：～するように**〉

Nous allons envoyer l'invitation **pour que** tout le monde **puisse** venir.

みんな来ることができるように私たちは招待状を送ることにしましょう。

À noter

・**espérer**「〜を期待する、希望する」には接続法を用いません。

直説法現在形
J'espère que vous **passez** de bonnes vacances.
あなた方がよいバカンスを過ごすことを私は願っています。

・接続法を使う表現は多くあります。辞書を引くと明記されているので、その都度覚えるようにしましょう。

もう少し学ぼう

B-21

◆ 接続法過去形

接続法過去形は、主節（**que**の前までの部分）の表す時点よりも前に起こったことを表すのに使います。

接続法現在形 Je suis triste **que tu partes**.
君が行ってしまうのが悲しい。

接続法過去形 Je suis triste **que tu sois parti**.
君が行ってしまったのが悲しい。

活用形は、助動詞（**avoir**または**être**）の接続法現在形と過去分詞の組み合わせです。

・**voirの接続法過去形**：助動詞**avoir**の接続法現在＋**vu**（過去分詞）

j'**aie vu** tu **aies vu** il/elle **ait vu**
nous **ayons vu** vous **ayez vu** ils/elles **aient vu**

・**venirの接続法過去形**：助動詞**être**の接続法現在＋**venu**（過去分詞）

je **sois venu(e)** tu **sois venu(e)**
il (elle) **soit venu(e)** nous **soyons venu(e)s**
vous **soyez venu(e)(s)** ils (elles) **soient venu(e)s**

練習問題に挑戦しよう

1 音声を聞いて、聞こえたフランス語を空欄に書き入れ、対話文を完成しましょう。

B-22

(1) Marianne viendra à la fête ?

— Je ne sais pas mais je ne crois pas ________________ .

マリアンヌはパーティーに来る?

—わからないけど彼女が来るとは思わないな。

(2) Pourquoi veux-tu ________________ maintenant ?

— Parce qu'il est possible ____________ de l'orage.

どうして今すぐ帰りたいの?

—だって雷雨になるかもしれないから。

orage 男 雷雨

(3) Vous n'avez pas de nouvelle de Julie ?

— Pas du tout. J'ai peur ____________ en colère.

ジュリーからの便りはないのですか?

—全くありません。彼女が怒っているのじゃないかと心配です。

nouvelle 女 知らせ　**être en colère** 怒る、腹を立てる

(4) Il faut ____________ du sport.

— Oui, et il vaut mieux ________________ la cuisine vous-même.

私はスポーツをしなくてはなりません。

—ええ、それにご自身で料理をした方がいいですよ。

vous-même 代 (人称) あなた(方)自身で

2 各文に適切な動詞の活用形を選びましょう。

(1) 私の授業が終わるまでお待ちいただけますか?

Pourriez-vous attendre jusqu'à ce que mon cours (①finit ② finisse) ?

(2) 息子がいつかここに戻ってくることを私は願っています。

J'espère que mon fils (①reviendra ②revienne) un jour.

(3) この薬を飲まなくちゃダメだよ。

Il faut que tu (①prends ②prennes) ces médicaments.

(4) エリックの両親は彼が東京に行ってほしくないと思っている。

Les parents d'Éric ne veulent pas qu'il (①aille ②va) à Tokyo.

(5) もし天気がよければ、テニスができるのにね。

S'il (①faisait ②fera) beau, on (①pourrait ②puisse) jouer au tennis.

3 次の日本語の文をフランス語に直しましょう。

(1) あなたが病気ではないかと心配です。 病気である: **être malade**

____

(2) 彼らは子どもたちが元気でいることを喜んでいる。

元気でいる: **aller bien**

____

(3) 私はソフィー (**Sophie**) に彼女が真実を知るように話した。

真実を知る: **savoir la vérité**

____

解答は191ページ

練習問題に挑戦しよう〈解答〉(フランス語作文は解答例です)

第1課

1 (1) Ça, elle (2) Ça, toi, Moi (3) c'est, lui (4) ça, elles (5) vous, nous

2 (1) Non (2) Oui (3) Non

3 (1) C'est très chaud ! (2) Ça, ce n'est pas à moi. (3) Ça y est ! Et toi, ça va ?

第2課

1 (1) Qu'est-ce que, un (2) Ce sont (3) du, de l' (4) une, un

2 (1) un (2) une (3) un (4) une (5) une (6) un

3 (1) des trains (列車、電車) (2) des voitures (自動車) (3) des noix (クルミ) (4) des animaux (動物)

4 (1) de la (2) du (3) de l' (4) de l' (5) du (6) de la

5 (1) C'est du jus de fruit. (2) C'est de la confiture. (3) Ce ne sont pas des fraises. Ce sont des framboises.

第3課

1 (1) Vous êtes, je suis (2) étudiante, elle est (3) Nous sommes, étudiant (4) sont, Ils sont

2 (1) Elle n'est pas de Strasbourg. (2) Ils ne sont pas fonctionnaires. (3) Vous n'êtes pas touristes.

3 (1) est avocate (2) sommes ingénieurs (3) es styliste (4) sont employés

4 (1) Louis est cuisinier. Il est à Lyon. (2) Jacques et Paul sont médecins. (3) Elle n'est pas enseignante ? (4) Moi, c'est Yumi. Je suis étudiante. Je suis d'Aomori.

第4課

1 (1) Tu as, j'ai (2) Vous avez, nous n'avons pas (3) a (4) ont (5) content, contente

2 (1) Elle n'a pas de portable. (2) Je n'ai pas d'amie française. (3) Ce ne sont pas des étudiants japonais.

3 (1) Est-ce que vous avez des bagages ? / Avez-vous des bagages ?
(2) Est-ce que Julie a une imprimante ? / Julie a-t-elle une imprimante ?

4 (1) Tu as une robe bleue ? (Est-ce que tu as une robe bleue ? / As-tu une robe bleue ?) (2) Hélène a un vieux piano. (3) Ils sont très gentils. (4) Vous avez des chiens ? (Est-ce que vous avez des chiens ? / Avez-vous des chiens ?) —Oui, nous avons un grand chien. Il est très sage.

第5課

1 (1) Vous parlez, je ne parle pas (2) aiment, elles adorent (3) Tu n'aimes pas, j'aime (4) Vous achetez, je préfère（ここではpoisson「魚」は食べる対象と捉えているので不可算名詞として扱います。観賞などの対象であれば可算名詞です）

2 (1) Si（ピエールには兄弟はいないのですか? —いいえ、弟が1人います。） (2) Non（お疲れではないですか? —はい、私は疲れていません。） (3) Si（彼はワインが好きではないのですか? —いや、好きですよ。）

3 (1) étudiez, le (2) travaillons (3) déteste, les (4) écoute, la

4 (1) Vous habitez à Lyon ? (Est-ce que vous habitez à Lyon ? / Habitez-vous à Lyon ?) —Oui, j'habite à Lyon. (2) Jean aime beaucoup la musique. (3) Tu chantes très bien. (4) Les étudiants parlent anglais et allemand.

第6課

1 (1) vous faites, Nous faisons (2) Tu sais, je ne sais pas (3) On prend (4) tu prends, Je prends (5) Ils font, ils sont

2 (1) ce (2) cet (3) Ces (4) Cette

3 (1) On regarde la télé ? —Bonne idée ! (2) Je prends ce pull et cette jupe. (3) Vous savez le numéro de portable de Monsieur Martin ? (4) Hélène fait un gâteau cet après-midi.

第7課

1 (1) Vous allez, Je vais (2) Tu viens, ils viennent (3) aux États-Unis, au Canada (4) de la maison, du bureau (5) Elle va, elle vient de

2 (1) au (2) d' (3) à la (4) de (5) dans

3 (1) Nous allons (On va) au musée. Vous venez avec nous ? (2) Je viens de déjeuner au restaurant universitaire. (3) Emma aime la Chine. Cette année, elle va aller en Chine.(Elle va aller en Chine cette année.)

第8課

1 (1) Vous voulez, je veux (2) Je peux (3) Tu ne veux pas, Je dois (4) aller, Tu peux (5) son（「友人」という意味の**ami**, **amie**は所有形容詞がつくと「恋人」という意味になります）

2 (1) votre, mon (2) nos (3) mes (4) Tes

3 (1) Vous pouvez (Pouvez-vous, Est-ce que vous pouvez) répéter encore une fois ? (2) Ma mère cherche son passeport. (3) Tu ne veux pas aller au café ? —Je veux (bien), mais je ne peux pas. Je dois aller chercher ma fille à l'école.

第9課

1 (1) Quelle heure, heures (2) Quel, fait-il, Il fait (3) Quelle est (4) Quels sont (5) Il y a

2 (1) quel (2) quelle (3) quel

3 (1) Quel dictionnaire avez-vous ? (Vous avez quel dictionnaire ? / Quel dictionnaire est-ce que vous avez ?) (2) Il faut du lait pour préparer le (un) dessert ! —Oh, il n'y a plus de lait. (3) Il fait beau à New-York ? (Fait-il beau à New York ? / Est-ce qu'il fait beau à New-York ?)—Non, il neige beaucoup et il fait très froid.

第10課

1 (1) Quand est-ce que, quelques (2) où, Dans, à (3) comment (4) combien (5) Pourquoi, Parce qu'

2 (1) choisissez, choisis (2) finissez (3) sortons

3 (1) Il reste un peu de miel et plusieurs pommes. (2) Il y a trop de monde en ville. (3) Pourquoi Jean ne part pas ? —Parce que sa voiture est en panne.

第11課

1 (1) Elle est restée, elle est sortie (2) Tu as fini, j'ai, travaillé (3) a fait (4) Vous avez pris (5) Ils sont venus, nous avons dîné

2 (1) J'ai été étudiant. (2) Ma mère est arrivée à la gare. (3) Ils ont eu de la chance. (4) Vous n'avez pas fait les courses.

3 (1) Aujourd'hui, ma femme est allée à l'hôpital. (2) Nous n'avons pas acheté cet ordinateur. (3) Quand est-ce qu'ils sont revenus (rentrés) au Japon ? / Ils sont revenus (rentrés) quand au Japon ? / Quand sont-ils revenus (rentrés) au Japon ? —Il y a une semaine.

第12課

1 (1) C'était, ce n'était pas (2) tu étais, tu habitais, J'habitais (3) Il y avait, ils étaient (4) vous aimiez, nous allions (5) on faisait

2 (1) étaient, venaient (2) prenais, a sonné (3) allait (4) est passée, restait

3 (1) Ma sœur écoutait la radio quand je suis entré dans la chambre. (Quand je suis entré dans la chambre, ma sœur écoutait la radio.) (2) Quand mes parents étaient étudiants, ils visitaient Kyoto tous les ans. (Mes parents visitaient Kyoto tous les ans quand ils étaient étudiants.)

第13課

1 (1) Tu me, je te (2) nous le (3) vous a, ne m'a pas (4) il veut les (5) leur envoie

2 (1) Julie lui ressemble beaucoup. (2) Cet étudiant l'a achetée. (3) Vous allez le prendre ? (4) Tu ne l'aimes pas beaucoup ?

3 (1) Mon frère m'a donné un cadeau de Noël. (2) Je lui prête mon vélo. (3) Je vous présente mon mari.

第14課

1 (1) Donne-moi (2) Regardez et écoutez (3) Dis-moi, Allons (4) Ne parle pas, sois (5) Faites

2 (1) Téléphonez-lui ce soir. (2) Va chez le médecin. (3) Écrivez-moi de temps en temps. (4) Attention. Ne mange pas trop.

3 (1) Partons ensemble et prenons un (le) taxi. (2) Ne prenez pas le petit déjeuner demain. Venez à la réception à huit(8) heures. (3) Dites-lui de rester à la maison.

第15課

1 (1) vous vous levez, Je me lève (2) se sont couchés, ils se sont réveillés (3) Tu t'appelles, Je m'appelle (4) Qu'est-ce qui, me suis (5) Vous vous téléphonez, on ne se

2 (1) Qu'est-ce qu' (2) Qui est-ce qui / Qui (3) quoi (4) Qui est-ce que

3 (1) Ma grand-mère se promène tous les matins. (2) Tu es fatigué(e). Repose-toi bien. (3) Qui est-ce qui se moque de toi ? / Qui se moque de toi ?

第16課

1 (1) ne l'est (2) J'en ai (3) elle y est (4) vous en donne (5) Quelle, Qu'elle est

2 (1) Qu'est-ce qu'elle est chère (2) Quelle beauté ! (3) Que ce film est intéressant ! (Que c'est intéressant, ce film ! / Qu'il est intéressant, ce film !) (4) Comme il travaille beaucoup (bien) !

3 (1) Vous travaillez à la bibliothèque ? —Oui, j'y travaille souvent. (2) Quelle journée magnifique ! (3) Aujourd'hui, Taro vient nous voir. (Taro vient nous voir aujourd'hui.) —Oui, je le sais.

第17課

1 (1) aussi grand que, plus grand que (2) moins bonne que, meilleure que (3) le mieux de, la meilleure (4) beaucoup d', autant d'

2 (1) Celles, celles (2) celui (3) ceux

3 (1) Mon mari est sorti de la maison plus tôt que moi mais il est rentré aussi tard que moi. (2) Pierre mange plus que Jean mais il est moins gros que lui. (3) Cette étudiante est la plus intelligente de sa classe.

第18課

1 (1) Tu partiras, Je partirai, viendra (2) On arrivera, serai (3) on fera, On ira (4) seraient, elle pourrait

2 (1) voudrais (2) aura (3) pourriez (4) sauras

3 (1) L'année prochaine, nous serons au Canada. (2) Si j'avais de l'argent, je ferais mes études à Paris. (3) Qu'est-ce que vous aimeriez faire plus tard ?

第19課

1 (1) qui, qu'on (2) où nous avons, celui dont (3) avec qui
(4) auxquels, pour laquelle

2 (1) C'est ce dessin animé que mon fils adore.（私の息子が大好きなのはこのアニメです。） (2) C'est cet élève qui travaille le mieux de cette classe.（クラスで一番よく勉強するのはこの生徒です。） (3) C'est chez mes grands-parents que je passerai les vacances.（私がバカンスを過ごす予定なのは祖父母の家だ。）

3 (1) Où est la jupe que j'ai achetée hier ? (2) Marie qui veut devenir danseuse va partir pour Lyon. (3) C'est le bébé de Sophie dont tu t'occupes ?

第20課

1 (1) qu'elle vienne (2) que nous rentrions, qu'il y ait (3) qu'elle soit
(4) que je fasse, que vous fassiez

2 (1) ② (2) ① (3) ② (4) ① (5) ①、①

3 (1) J'ai peur que vous soyez malade. (2) Ils sont contents que leurs enfants aillent bien. (3) J'ai parlé à Sophie pour qu'elle sache la vérité.

人称に関わる語

人称に関わる語のまとめです。

人称代名詞

<table>
<tr><th colspan="2"></th><th>主語</th><th>直接目的語</th><th>間接目的語</th><th>再帰代名詞</th><th>強勢形</th></tr>
<tr><td rowspan="4">単数</td><td>1人称</td><td>je (j’)</td><td colspan="3">me (m’)</td><td>moi</td></tr>
<tr><td>2人称</td><td>tu</td><td colspan="3">te (t’)</td><td>toi</td></tr>
<tr><td>3人称(男)</td><td>il</td><td>le (l’)</td><td rowspan="2">lui</td><td rowspan="2">se (s’)</td><td>lui</td></tr>
<tr><td>3人称(女)</td><td>elle</td><td>la (l’)</td><td>elle</td></tr>
<tr><td rowspan="4">複数</td><td>1人称</td><td colspan="5">nous</td></tr>
<tr><td>2人称</td><td colspan="5">vous</td></tr>
<tr><td>3人称(男)</td><td>ils</td><td rowspan="2">les</td><td rowspan="2">leur</td><td rowspan="2">se (s’)</td><td>eux</td></tr>
<tr><td>3人称(女)</td><td>elles</td><td>elles</td></tr>
<tr><td colspan="2">学習した課</td><td>第3課</td><td>第13課</td><td>第13課</td><td>第15課</td><td>第1課</td></tr>
</table>

＊（　）はエリズィオンした形

- 1人称は話し手、2人称は聞き手、3人称は話し手・聞き手以外の人や、もの・ことを指します。強勢形は人のみを指します。
- **vous**は複数の聞き手（あなた方、君たち）のほか、距離を取るべき単数の聞き手（あなた）を指します。

代名詞on

上の表の代名詞に加え、主語としてのみ用いる代名詞onがあります。意味は文脈に合わせてさまざま（第6課）ですが、3人称単数として扱い、組み合わされる動詞の活用形は3人称単数です。また**on**が主語の場合の再帰代名詞は**se**です。

onが**nous**の代わりをする場合、属詞や過去分詞の性・数は**on**が指すものに一致します。例えば、**nous**（女性）を指している場合は、**On est étudiantes japonaises. On est arrivées à Paris hier.**「私たちは日本人の女子学生。昨日パリに着いたの。」となります。

所有形容詞（第8課）

所有者＼所有されるもの（名詞）	男性単数	女性単数	複数
私の	mon	ma (mon)	mes
君の	ton	ta (ton)	tes
彼の・彼女の	son	sa (son)	ses
私たちの	notre		nos
あなた（方）の	votre		vos
彼らの・彼女たちの	leur		leurs

＊（　）は母音または無音のhの前

• 名詞とセットで用います。名詞の性・数に合った形を名詞の前に置きます。mon **frère**「私の兄（弟）」 ma **sœur**「私の姉（妹）」

• 所有形容詞と名詞の間に形容詞が入る場合もあります。mes **grands frères**「私の兄たち」 mon **meilleur ami**「私の大親友」

所有代名詞

	男性単数	女性単数	男性複数	女性複数
所有代名詞の前に置く定冠詞	le	la	les	
私のもの（人）	mien	mienne	miens	miennes
君のもの（人）	tien	tienne	tiens	tiennes
彼・彼女のもの（人）	sien	sienne	siens	siennes
私たちのもの（人）	nôtre		nôtres	
あなた（方）のもの（人）	vôtre		vôtres	
彼ら・彼女たちのもの（人）	leur		leurs	

• 〈所有形容詞＋名詞〉に代わり、名詞の性・数に合った定冠詞を前につけます。

Oh Pardon ! Ce n'est pas mon parapluie, c'est le tien **!**
あ、ごめん！ これ私の傘じゃない、君のものだ！

le tien = ton parapluie

名詞

名詞の性

名詞には男性名詞と女性名詞があり、「もの」や「こと」を表す名詞にも文法上の性があります。「人」や「動物」を表す名詞の性は通常、自然の性と一致します。

- 職業や社会的立場を表す名詞には多くの場合、男性形と女性形があります。女性形は原則として〈男性形 + **e**〉です。

学生　（男性）**étudiant**　（女性）**étudiante**

名詞の数

名詞には可算名詞と不可算名詞があります（➡**p.** 196）。可算名詞は複数形にすることができます。複数形は原則として〈単数形 + **s**〉です。

学生たち　（男性）**étudiants**　（女性）**étudiantes**

- 名詞が可算か不可算かはその名詞の性質によりますが（第2課）、通常不可算名詞である名詞も状況に応じて数える場合があります。不可算名詞の**café**「コーヒー」も、注文の際には**Deux cafés, s'il vous plaît.**「コーヒー2つ、お願いします」と複数形にします。
- 可算で扱うか不可算で扱うかによって意味が異なる名詞があります。

私は魚が好きです。

J'aime les poissons.　**les poissons**（可算）観賞などの対象

J'aime le poisson.　**le poisson**（不可算）食べる対象

形容詞

形容詞の性・数一致

形容詞は修飾する名詞の性・数に一致させた形で用います。
女性形は〈男性単数形 + **e**〉、男性複数形は〈男性単数形 + **s**〉、女性複数形は〈男性単数形 + **es**〉です。

不規則な変化をする名詞・形容詞

名詞や形容詞の女性形や複数形は左記のように作ることができますが、特殊な形になるものもあります。主なものを紹介します。

特殊な女性形

語末のつづり	女性単数形	例
-e	変化なし	[形] 金持ちの、豊かな：riche（男女同形）
-el	-elle	[形] 現在の：actuel, actuelle
-en	-enne	[形] 古来の：ancien, ancienne
-er	-ère	[形] 軽い：léger, légère
-et	-ète	[形] 心配な：inquiet, inquiète
-et	-ette	[形] おしゃれな：coquet, coquette
-eur	-euse	[名] 美容師：coiffeur, coiffeuse
-eux	-eusc	[形] 幸せな：heureux, heureuse
-f	-ve	[形] 活発な、鮮やかな：vif, vive
-on	-onne	[形] よい：bon, bonne
-teur	-trice	[名] クリエーター：créateur, créatrice

＊他にも「厚い」épais, épaisse、「低い」bas, basse、「柔らかい」doux, douce、「親切な」gentil, gentilleや、男性第2形を持つ形容詞がある（第4課）。

特殊な複数形

語末のつづり	複数形	例
-s, -x, -z	変化なし	[名] 息子：fils　[形] 古い、年老いた：vieux（単複同形）
-au, -eau, -eu, -ou	-x	[名] ナイフ：couteau, couteaux [名] 甥：neveu, neveux　[名] キャベツ：chou, choux
-al, -ail	-aux	[形] 友好的な：amical, amicaux [名] 仕事：travail, travaux

＊例外もある：「青い」bleu, bleus、「穴」trou, trousなど

単数形と複数形で大きく形が変わるもの

単数形		複数形	意味
monsieur	➡	messieurs	[男] ～さん、ムッシュー
madame	➡	mesdames	[女] ～さん、マダム
mademoiselle	➡	mesdemoiselles	[女] ～さん、マドモワゼル
œil	➡	yeux	[男] 目

過去分詞

複合過去形などの複合形を作るときに用いられる動詞の形。動詞の不定詞から規則的に作ることができるものもありますが、使用頻度の高い不規則動詞については多くの場合、個別の形があります。

er動詞とaller：-erを-éに置き換える
parler ➡ parlé

語末が-irのほとんどの動詞：-rをとる
choisir ➡ choisi　**sortir ➡ sorti**
（**ouvrir ➡ ouvert**　**venir ➡ venu**など例外もあり）

語末が-oirの動詞：過去分詞の語末はほとんどがu
vouloir ➡ voulu　**pouvoir ➡ pu**　**voir ➡ vu**
devoir ➡ dû　**avoir ➡ eu**

語末が-reの動詞：多くの場合u
attendre ➡ attendu　**lire ➡ lu**

その他の重要動詞：faire ➡ fait　**mettre ➡ mis**
prendre ➡ pris など 動詞活用表（➡p.203～209）で確認してください。

可算名詞と不可算名詞

可算名詞：**livre**「本」や**maison**「家」のように**「1つ、2つ」と数えることができるものを表す名詞。**単数または複数で用いられ、文中で用いる場合はそれぞれの数に合った**限定詞**を用います（➡p. 197）。例えば「本」が1冊であれば**un livre**で、複数であれば**des livres**となります。

不可算名詞：「1つ、2つ」とは数えられないものを表す名詞。 **eau**「水」や**farine**「小麦粉」、**beurre**「バター」などは、その量をはかることはできても「1つ、2つ」と数えることはできません。**amour**「愛」や**amitié**「友情」などの抽象名詞も同様で、こうした名詞が不可算名詞にあたります。

- 不可算名詞を数えられるものとして扱うことがあります。例えば容器に入った食料や飲み物、盛りつけられた料理などは1つ、2つと個別に捉えられるので、買い物や注文の場面で可算名詞として扱います。
- 可算名詞を不可算名詞として扱うこともあります。動物や魚は可算名詞ですが、不可算名詞として扱うとその動物や魚を食用（肉・魚肉）として捉えているということになります。

仮定文

「もし〜なら」という**仮定を表す文**。「もし〜なら」と**仮定を表す「条件節」**と「〜だろう、〜だろうに、〜だったのに」と**帰結**（結果）**を表す「主節」**から成り、主に以下のような組み立てとなります。仮定を表す節の冒頭は通常**si**（**il**や**ils**の前では**s'**）から始まります。

未来の仮定：条件節＝**直説法現在形**　　主節＝**直説法単純未来形**

S'il fait **beau demain, je** ferai **du jogging.**
もし明日天気がよければ、私はジョギングをするだろう。

現実に反する仮定：条件節＝**直説法半過去形**　　主節＝**条件法現在形**

S'il faisait **beau aujourd'hui, je** ferais **du jogging.**
もし今日天気がよければ、私はジョギングをするのに。

過去の現実に反する仮定：条件節＝**直説法大過去形**　　主節＝**条件法過去形**

S'il avait fait **beau hier, j'**aurais fait **du jogging.**
もし昨日天気がよかったら、私はジョギングをしたのに。

・主節-条件節の順にもなります。**Je ferai du jogging s'il fait beau demain.**

句

核（中心）となる語に、その語が文の中で文法的にあるいは意味的に正しく用いられるために、**必要な語がついて成立している語の集まり**（グループ）。**文の構成要素**となります。例えば**Mon frère est très grand.**「私の兄はとても背が高い。」という文は、**名詞句**（**mon frère**）＋**動詞**（**est**）＋**形容詞句**（**très grand**）で成立しています。**mon frère**は所有形容詞**mon**＋名詞**frère**の組み合わせですが、意味的に核となるのは名詞の**frère**ですから名詞句です。一方**très grand**は副詞の**très**と形容詞**grand**の組み合わせですが、核となるのは形容詞**grand**ですから形容詞句となります。

限定詞

名詞の前について名詞に何らかの意味を与える語。**定冠詞**、**不定冠詞**、**部分冠詞**、**指示形容詞**、**所有形容詞**のほか、**数や量を表す表現**がこれにあたります。フランス語では、名詞が文中で使用される場合には、通常、冠詞または冠詞に代わる限定詞を用いることになっています。例えば「私は**チョコレート**が好きだ。」と言う場合には、**chocolat**（チョコレート）に定冠詞**le**をつけ、**J'adore le chocolat.** としなくてはなりません。ただし、例外もあります。職業や社会的立場、国籍などを表す名詞が属詞として用いられる場合には限定詞をつけずに用います（➡第３課）。例えば「私は学生だ。」は、**Je suis étudiant.** で、**étudiant**には冠詞をつけません。

準助動詞

後に動詞の不定詞を置いて用いられる動詞。主なものは、**pouvoir**「〜できる」、**savoir**「〜できる（能力を持っている）」、**devoir**「〜しなければならない」、**vouloir**「〜したい」、**aller**「〜するところだ、〜するつもりだ」、**venir de**「〜したところだ」などです。例えば、**aller**は動詞としては「（〜へ）行く」という意味で用いられますが、準助動詞としては近接未来形を作る道具のように用いられます。

Je vais à la bibliothèque.　私は図書館に行きます。

Je vais travailler demain.　私は明日働くつもりです。

状況補語

動詞と結びついて**時や場所に関する情報を補足する語**。例えば、**Pendant deux ans, il a habité à Paris.**「2年間彼はパリに住んだ。」では、**il a habité**「彼が住んだ」のが、**à Paris**「パリに」であり、それが**pendant deux ans**「2年間」であったということがわかります。この場合、**pendant deux ans**は時に関しての、また**à paris**は場所に関しての補足情報を与えています。したがってそれぞれ**時の状況補語**、**場所の状況補語**と呼ばれます。時や場所のほか、理由や目的、様態を表すものなどもあります。

節

文の中にある文。文とは基本的に〈主語＋動詞句（＋目的語や状況補語など）〉で成立しますが、2つ以上の文が一緒になって1つの文を作り上げることがあります。例えば仮定文はその典型です。

ⓐ**Si j'étais libre cet après-midi,** ⓑ**j'irais au musée.**
もし今日の午後暇なら、私は美術館に行くのに。

この仮定文は、ⓐとⓑの2つの文で構成されています。このように文を構成する（小さな）文が節です。この場合ⓐはⓑが成立（実現）するための条件として組み込まれています。そのため、この文の主な節（主節）はⓑです。ⓐはⓑに従属する節（従属節）で、条件を示しているので条件節とも呼ばれます。

接続法は基本的に接続詞queに導かれる節の中で用いられます。

ⓒ**Je suis content** ⓓ**que tu sois là.** ⓒは主節 ⓓは従属節
君がいてくれてうれしいよ。

属詞

主に文の**主語の性質や状態を表す名詞句や形容詞句**。主語とは通常、動詞êtreでつながります。

Lucie est étudiante. Elle est très gentille.
リュシーは学生です。彼女はとても親切です。

提示詞

「それは～だ」「ほら～だよ」と**何かを提示したり誰かを紹介したりする場合に用いる表現**。c'est（ce sont）やvoici、voilàなどがあります。

Voici l'Opéra de Paris.
これがパリのオペラ座です。

Voilà Monsieur et Madame Gilles.
こちらがジル夫妻です。

近いものにvoiciを、離れたものにvoilàを用いて遠近を示せます。

Voici le musée et voilà l'hôtel de ville.
こちらが美術館であちらが市庁舎です。

動詞の4つの法

話し手の心的態度による動詞の活用の分類。4つの法があり、話し手が文の内容をどう捉えているかが示されます。

直説法：文の内容が**事実**であると捉えている。

条件法：文の内容が**仮定**であると捉えている。

接続法：文の内容は**主観的**で、**願望や要求の対象や目的**であると捉えている。

命令法：文の内容は**相手に対する命令や指示**であると捉えている。

・なお、動詞は「現在」「過去」「未来」といった時制という観点から分類することもできます。

直説法の時制：8つ。本書では**現在形**、**複合過去形**（➡第11課）、**半過去形**（➡第12課）、**単純未来形**（➡第18課）、**大過去形**（➡第18課）を扱っています。このほか、前未来形、単純過去形、前過去形があります。

条件法の時制：**現在形**と**過去形**（➡第18課）の2つがあります。

接続法の時制：**現在形**と**過去形**（➡第20課）、半過去形、大過去形がありますが、日常会話で使われるのは現在形と過去形のみです。

命令法の時制：**現在形に3つの形があります**（➡第14課）。過去形（完了形）もありますがほぼ使用されません。

付加形容詞の位置

形容詞を名詞につけて用いる場合の形容詞（付加形容詞）の位置は通常名詞の後。しかし前に置くものもあります（p. 45）。名詞に2つ以上の形容詞をつける場合は、それぞれの位置に置きます。

J'ai une petite tablette fonctionnelle.
私は小さくて機能的なタブレットを持っています。

ただし、形容詞をetで結んで、名詞の後に置くこともできます。

J'ai une tablette petite et fonctionnelle.

置く位置によって異なる意味になる形容詞があります。例えば…

dernier, dernière　**名詞の前**：最後の、最新の　**名詞の後**：この前の

la dernière semaine　最後の週

la semaine dernière　先週

不定詞

動詞の活用していない形。辞書の見出し語に用いられています。例えば、動詞**parler**の不定詞は**parler**、動詞**aller**の不定詞は**aller**です。また不定詞には複合形もあります。複合形は〈助動詞**avoir**または**être**の不定詞＋各動詞の過去分詞〉です。例えば**parler**の場合は**avoir parlé**、**aller**の場合は**être allé(e)(s)**になります。不定詞は準助動詞の後に置かれたり、前置詞の後に置かれたりして用いられます。

不定詞を否定形で用いる場合には、**ne**と**pas**を不定詞の前に置きます。

Il vaut mieux ne pas sortir aujourd'hui.
今日は外出しない方がいいです。

目的補語

動詞の後に置かれ、動詞の表す動作の対象（目的）を表す名詞句。略して目的語と呼ばれます。例えば、**Je mange du pain.**「私はパンを食べる。」では、**manger**という動詞が示す「食べる」という動作の対象は**du pain**「パン」で、**du pain**はこの文の目的（補）語となります。

また**Je téléphone à mon frère.**「私は兄に電話をかける。」では、**téléphoner**「電話をかける」という動作の対象は**mon frère**「私の兄」で、**mon frère**もこの文の目的（補）語となります。しかしこの2つの目的（補）語には違いがあります。

直接目的（補）語：Je mange du pain.では、**du pain**は動詞に直接ついています。このように**動詞に直接つく目的語は「直接目的（補）語」**と呼ばれます。

間接目的（補）語：Je téléphone à mon frère.では**mon frère**の前に前置詞**à**が置かれています。このように**àやdeなどの前置詞を介して動詞につく目的語は「間接目的（補）語」**と呼ばれます。

不規則動詞 直説法現在形の覚え方

使用頻度の高い動詞の多くは不規則な活用をします。しかしある種の規則性も見られるので、それらを手掛かりにして覚えることも可能です。

覚え方のコツ

er動詞と同様、前と後を組み合わせます。後は多くの不規則動詞に共通の基本型があります。一方、前は動詞によって異なります。前半部の形と数に注目すると覚えやすくなります。

前：多くの場合、形は**複数**あります。

後：基本型は**単数**が-s, -s, -tで、**複数**はer動詞と同じ-ons, -ez, -entです。ただし、一部の動詞はいずれかの人称で**特殊型**を用います。

	単数		複数	
	基本型	特殊型★	基本型	特殊型★
1人称	-s 【無音】	-x 【無音】	-ons [ɔ̃]	例外は êtreのみ
2人称	-s 【無音】	-x 【無音】	-ez [e]	-es* 【無音】
3人称	-t 【無音】	なし	-ent 【無音】	-ont [ɔ̃]

＊ この形はêtre, dire, faireのみ

不規則動詞基本形の例：courir「走る」 前1種類 cour- 後基本型

je cours tu cours il court nous courons vous courez ils courent

不規則動詞基本形の例：voir「～を見る」 前2種類 voi-, voy- 後基本型

je vois tu vois il voit nous voyons vous voyez ils voient

不規則動詞基本形の例：devoir「～しなければならない」

前3種類 doi-, dev-, doiv- 後基本型

je dois tu dois il doit nous devons vous devez ils doivent

不規則動詞特殊形の例：rendre「～を返す」 前1種類 rend- 後特殊型

je rends tu rends il rend★ nous rendons vous rendez ils rendent

不規則動詞特殊形の例：dire「～を言う」

前3種類 di-, dis-, dit- 後特殊型

je dis tu dis il dit nous disons vous dites★ ils disent

動詞活用表

各課で学んだ主な動詞や、知っておくべき動詞の活用表です。まず、**avoir**と**être**は基本中の基本です。また、**er**動詞の代表として**parler**、**ir**規則動詞の代表として**finir**を載せました。そのほか、重要な動詞を厳選しましたので、音声を繰り返し聴いて覚えましょう。

基本の動詞4種　avoir、être、-er動詞、-ir動詞

不定詞 意味 過去分詞	直説法現在形 複合過去形	半過去形 単純未来形	接続法現在形 命令法
B-23 **avoir** ～を持つ eu	j'ai tu as il a nous avons vous avez ils ont	j'avais tu avais il avait nous avions vous aviez ils avaient	j'aie tu aies il ait nous ayons vous ayez ils aient
	j'ai eu tu as eu il a eu nous avons eu vous avez eu ils ont eu	j'aurai tu auras il aura nous aurons vous aurez ils auront	aie ayons ayez
B-24 **être** ～だ、である été	je suis tu es il est nous sommes vous êtes ils sont	j'étais tu étais il était nous étions vous étiez ils étaient	je sois tu sois il soit nous soyons vous soyez ils soient
	j'ai été tu as été il a été nous avons été vous avez été ils ont été	je serai tu seras il sera nous serons vous serez ils seront	sois soyons soyez

不定詞 意味 過去分詞	直説法現在形 複合過去形	半過去形 単純未来形	接続法現在形 命令法
B-25 er動詞 **parler** (〜を)話す parlé	je parle	je parlais	je parle
	tu parles	tu parlais	tu parles
	il parle	il parlait	il parle
	nous parlons	nous parlions	nous parlions
	vous parlez	vous parliez	vous parliez
	ils parlent	ils parlaient	ils parlent
	j'ai parlé	je parlerai	
	tu as parlé	tu parleras	parle
	il a parlé	il parlera	
	nous avons parlé	nous parlerons	parlons
	vous avez parlé	vous parlerez	parlez
	ils ont parlé	ils parleront	
B-26 ir動詞 **finir** 〜を終える、終わる fini	je finis	je finissais	je finisse
	tu finis	tu finissais	tu finisses
	il finit	il finissait	il finisse
	nous finissons	nous finissions	nous finissions
	vous finissez	vous finissiez	vous finissiez
	ils finissent	ils finissaient	ils finissent
	j'ai fini	je finirai	
	tu as fini	tu finiras	finis
	il a fini	il finira	
	nous avons fini	nous finirons	finissons
	vous avez fini	vous finirez	finissez
	ils ont fini	ils finiront	

必ず覚えたい 超重要動詞10選

不定詞 意味 過去分詞	直説法現在形 複合過去形	半過去形 単純未来形	接続法現在形 命令法
B-27 **aller** (〜に)行く allé	je vais	j'allais	j'aille
	tu vas	tu allais	tu ailles
	il va	il allait	il aille
	nous allons	nous allions	nous allions
	vous allez	vous alliez	vous alliez
	ils vont	ils allaient	ils aillent
	je suis allé(e)	j'irai	
	tu es allé(e)	tu iras	va
	il est allé	il ira	
	nous sommes allé(e)s	nous irons	allons
	vous êtes allé(e)(s)	vous irez	allez
	ils sont allés	ils iront	

不定詞 意味 過去分詞	直説法現在形 複合過去形	半過去形 単純未来形	接続法現在形 命令法
B-28 **devoir** 〜しなければならない、〜に借りがある dû	je dois tu dois il doit nous devons vous devez ils doivent	je devais tu devais il devait nous devions vous deviez ils devaient	je doive tu doives il doive nous devions vous deviez ils doivent
	j'ai dû tu as dû il a dû nous avons dû vous avez dû ils ont dû	je devrai tu devras il devra nous devrons vous devrez ils devront	
B-29 **faire** 〜する fait	je fais tu fais il fait nous faisons vous faites ils font	je faisais tu faisais il faisait nous faisions vous faisiez ils faisaient	je fasse tu fasses il fasse nous fassions vous fassiez ils fassent
	j'ai fait tu as fait il a fait nous avons fait vous avez fait ils ont fait	je ferai tu feras il fera nous ferons vous ferez ils feront	fais faisons faites
B-30 **partir** 出発する parti	je pars tu pars il part nous partons vous partez ils partent	je partais tu partais il partait nous partions vous partiez ils partaient	je parte tu partes il parte nous partions vous partiez ils partent
	je suis parti(e) tu es parti(e) il est parti nous sommes parti(e)s vous êtes parti(e)(s) ils sont partis	je partirai tu partiras il partira nous partirons vous partirez ils partiront	pars partons partez

不定詞 意味 過去分詞	直説法現在形 複合過去形	半過去形 単純未来形	接続法現在形 命令法
B-31 **pouvoir** ～できる pu	je peux tu peux il peut nous pouvons vous pouvez ils peuvent	je pouvais tu pouvais il pouvait nous pouvions vous pouviez ils pouvaient	je puisse tu puisses il puisse nous puissions vous puissiez ils puissent
	j'ai pu tu as pu il a pu nous avons pu vous avez pu ils ont pu	je pourrai tu pourras il pourra nous pourrons vous pourrez ils pourront	
B-32 **prendre** ～を取る、 ～を飲む、 ～を食べる、 ～に乗る pris	je prends tu prends il prend nous prenons vous prenez ils prennent	je prenais tu prenais il prenait nous prenions vous preniez ils prenaient	je prenne tu prennes il prenne nous prenions vous preniez ils prennent
	j'ai pris tu as pris il a pris nous avons pris vous avez pris ils ont pris	je prendrai tu prendras il prendra nous prendrons vous prendrez ils prendront	prends prenons prenez
B-33 **se réveiller** 起きる réveillé	je me réveille tu te réveilles il se réveille nous nous réveillons vous vous réveillez ils se réveillent	je me réveillais tu te réveillais il se réveillait nous nous réveillions vous vous réveilliez ils se réveillaient	je me réveille tu te réveilles il se réveille nous nous réveillions vous vous réveilliez ils se réveillent
	je me suis réveillé(e) tu t'es réveillé(e) il s'est réveillé nous nous sommes réveillé(e)s vous vous êtes réveillé(e)(s) ils se sont réveillés	je me réveillerai tu te réveilleras il se réveillera nous nous réveillerons vous vous réveillerez ils se réveilleront	réveille-toi réveillons-nous réveillez-vous

不定詞 意味 過去分詞	直説法現在形 複合過去形	半過去形 単純未来形	接続法現在形 命令法
B-34 **savoir** ～を知る、 ～がわかる、 ～できる su	je sais tu sais il sait nous savons vous savez ils savent	je savais tu savais il savait nous savions vous saviez ils savaient	je sache tu saches il sache nous sachions vous sachiez ils sachent
	j'ai su tu as su il a su nous avons su vous avez su ils ont su	je saurai tu sauras il saura nous saurons vous saurez ils sauront	 sache sachons sachez
B-35 **venir** 来る venu 同 revenir, se souvenir	je viens tu viens il vient nous venons vous venez ils viennent	je venais tu venais il venait nous venions vous veniez ils venaient	je vienne tu viennes ils vienne nous venions vous veniez ils viennent
	je suis venu(e) tu es venu(e) il est venu nous sommes venu(e)s vous êtes venu(e)(s) ils sont venus	je viendrai tu viendras il viendra nous viendrons vous viendrez ils viendront	 viens venons venez
B-36 **vouloir** ～を欲する、 ～したい voulu	je veux tu veux il veut nous voulons vous voulez ils veulent	je voulais tu voulais il voulait nous voulions vous vouliez ils voulaient	je veuille tu veuilles il veuille nous voulions vous vouliez ils veuillent
	j'ai voulu tu as voulu il a voulu nous avons voulu vous avez voulu ils ont voulu	je voudrai tu voudras il voudra nous voudrons vous voudrez ils voudront	 veuille (veux) veuillons (voulons) veuillez (voulez)

重要動詞12選

直説法現在の全人称、半過去(第12課)、単純未来(第18課)、接続法現在(第20課)の je、nous、ilsの活用形と命令法を載せています。

不定詞 意味 過去分詞 (使用する助動詞)	直説法現在形	半過去形 単純未来形	接続法現在形 命令法
B-37 **attendre** ～を待つ attendu (avoir) 同 perdre	j'attends tu attends il attend nous attendons vous attendez ils attendent	j'attendais nous attendions ils attendaient j'attendrai nous attendrons ils attendront	j'attende nous attendions ils attendent attends attendons attendez
B-38 **connaître** ～を知る connu (avoir)	je connais tu connais il connaît nous connaissons vous connaissez ils connaissent	je connaissais nous connaissions ils connaissaient je connaîtrai nous connaîtrons ils connaîtront	je connaisse nous connaissions ils connaissent connais connaissons connaissez
B-39 **croire** ～を信じる、思う cru (avoir)	je crois tu crois il croit nous croyons vous croyez ils croient	je croyais nous croyions ils croyaient je croirai nous croirons ils croiront	je croie nous croyions ils croient crois croyons croyez
B-40 **descendre** ～を下ろす、降りる descendu (avoir, être)	je descends tu descends il descend nous descendons vous descendez ils descendent	je descendais nous descendions ils descendaient je descendrai nous descendrons ils descendront	je descende nous descendions ils descendent descends descendons descendez
B-41 **dire** ～と言う dit (avoir)	je dis tu dis il dit nous disons vous dites ils disent	je disais nous disions ils disaient je dirai nous dirons ils diront	je dise nous disions ils disent dis disons dites
B-42 **écrire** ～を書く、手紙を書く écrit (avoir)	j'écris tu écris il écrit nous écrivons vous écrivez ils écrivent	j'écrivais nous écrivions ils écrivaient j'écrirai nous écrirons ils écriront	j'écrive nous écrivions ils écrivent écris écrivons écrivez

不定詞 意味 過去分詞 (使用する助動詞)	直説法現在形	半過去形 単純未来形	接続法現在形 命令法
B-43 **envoyer** ～を送る envoyé (avoir)	j'envoie tu envoies il envoie nous envoyons vous envoyez ils envoient	j'envoyais nous envoyions ils envoyaient j'enverrai nous enverrons ils enverront	j'envoie nous envoyions ils envoient envoie envoyons envoyez
B-44 **lire** ～を読む、本を読む lu (avoir)	je lis tu lis il lit nous lisons vous lisez ils lisent	je lisais nous lisions ils lisaient je lirai nous lirons ils liront	je lise nous lisions ils lisent lis lisons lisez
B-45 er動詞変則 **manger** ～を食べる mangé (avoir) 同 changer など	je mange tu manges il mange nous mangeons vous mangez ils mangent	je mangeais nous mangions ils mangeaient je mangerai nous mangerons ils mangeront	je mange nous mangions ils mangent mange mangeons mangez
B-46 **mettre** ～を付ける、～を置く、～を身に付ける mis (avoir)	je mets tu mets il met nous mettons vous mettez ils mettent	je mettais nous mettions ils mettaient je mettrai nous mettrons ils mettront	je mette nous mettions ils mettent mets mettons mettez
B-47 **vivre** 生きる、～を体験する vécu (avoir)	je vis tu vis il vit nous vivons vous vivez ils vivent	je vivais nous vivions ils vivaient je vivrai nous vivrons ils vivront	je vive nous vivions ils vivent vis vivons vivez
B-48 **voir** ～を見る、～が見える、～と会う vu (avoir)	je vois tu vois il voit nous voyons vous voyez ils voient	je voyais nous voyions ils voyaient je verrai nous verrons ils verront	je voie nous voyions ils voient vois voyons voyez

数

基数詞

B-49

1	un / une	2	deux	3	trois
4	quatre	5	cinq	6	six
7	sept	8	huit	9	neuf
10	dix	11	onze	12	douze
13	treize	14	quatorze	15	quinze
16	seize	17	dix-sept	18	dix-huit
19	dix-neuf	20	vingt	21	vingt-et-un / une
22	vingt-deux	23	vingt-trois	24	vingt-quatre
25	vingt-cinq	26	vingt-six	27	vingt-sept
28	vingt-huit	29	vingt-neuf	30	trente
40	quarante	50	cinquante	60	soixante

70	soixante-dix	71	soixante-et-onze
72	soixante-douze	73	soixante-treize
74	soixante-quatorze	75	soixante-quinze
76	soixante-seize	77	soixante-dix-sept
78	soixante-dix-huit	79	soixante-dix-neuf
80	quatre-vingts	81	quatre-vingt-un / une
82	quatre-vingt-deux	88	quatre-vingt-huit
89	quatre-vingt-neuf	90	quatre-vingt-dix
91	quatre-vingt-onze	95	quatre-vingt-quinze
99	quatre-vingt-dix-neuf	100	cent
101	cent-un / une	102	cent-deux
200	deux-cents	201	deux-cent-un / une
300	trois-cents	600	six-cents
1000	mille	1001	mille-un / une
1002	mille-deux		
1999	mille-neuf-cent-quatre-vingt-dix-neuf		
2000	deux-mille	2001	deux-mille-un / une
2030	deux-mille-trente	3000	trois-mille
5000	cinq-mille	8000	huit-mille

10000 dix-mille　**100000** cent-mille
1000000 un million

＊ **un**や**vingt-et-un**などの**un**で終わる数は、後に女性名詞が続く場合は**une**を用いる。
＊ 1990年のつづり字修正案に従い、組み合わせ数字は－で結んでいる。（**million**にはこのルールは適用されない）

序数詞

🔈B-50

1番目の 1er / 1ère premier / première
2番目の 2e deuxième, second / seconde
3番目の 3e troisième　**4番目の** 4e quatrième
5番目の 5e cinquième　**6番目の** 6e sixième
7番目の 7e septième　**8番目の** 8e huitième
9番目の 9e neuvième　**10番目の** 10e dixième
11番目の 11e onzième　**21番目の** 21ème vingt-et-unième
100番目の 100e centième　**101番目の** 101ème cent-unième

＊「1番目の」の後に続く名詞の性によって**premier**男と**première**女を使い分ける。
＊「2番目の」は、**deuxième**と**second**男／**seconde**女の２種類がある。**second(e)**は決まった表現で使われ（例：**la Seconde Guerre mondiale**「第二次世界大戦」）、**deuxième**の使用が一般的。
＊ 序数詞の作り方は〈基数詞＋-ième〉。例）「20番目の」：**vingt**＋**-ième**＝**vingtième**。基数詞が**e**で終わる場合は、**e**をとって**-ième**をつける。例）「30番目の」：**trente** ➡ **trent**＋**-ième**＝**trentième**
＊「5番目の」は**-ième**の前に**u**が入る。「9番目の」は**neuf**の語末の**f**が**v**に変わる。

月名

「～月に」en＋月名　例）**en janvier** 1月に

🔈B-51

1月	janvier	**2月**	février	**3月**	mars
4月	avril	**5月**	mai	**6月**	juin
7月	juillet	**8月**	août	**9月**	septembre
10月	octobre	**11月**	novembre	**12月**	décembre

曜日

「～曜日に」は前置詞不要、「毎週～曜日に」は**le**＋曜日

🔈B-52

月曜日	lundi	**火曜日**	mardi	**水曜日**	mercredi
木曜日	jeudi	**金曜日**	vendredi	**土曜日**	samedi
日曜日	dimanche				

日付の言い方

B-53

曜日、日にち、月、年　例）le samedi 12 juin 2021

＊日付にはleをつけ、曜日、日にち、月、年の順（曜日の省略もあり）。
＊1日（ついたち）はle 1er (premier) で表す。

時を表す表現

B-54

朝	le matin	今朝	ce matin
午後	l'après-midi	今日の午後	cet après-midi
夜	le soir	今晩	ce soir
今日	aujourd'hui		
今	maintenant	後ほど	plus tard
明日	demain	明後日	après-demain
明日の夜	demain soir		
昨日	hier	一昨日	avant-hier
昨夜	hier soir		
週末	le week-end	今週末	ce week-end
今週	cette semaine	来週	la semaine prochaine
先週	la semaine dernière		
今月	ce mois	来月	le mois prochain
先月	le mois dernier		
今年	cette année	来年	l'année prochaine
去年	l'année dernière		
春	le printemps	春に	au printemps
夏	l'été	夏に	en été
秋	l'automne	秋に	en automne
冬	l'hiver	冬に	en hiver
2日後	dans deux jours	3週間前	il y a trois semaines
すぐに	tout de suite	まもなく	bientôt
遅れて	en retard	時間より前に	en avance
時間通りに	à l'heure	以前は	avant, autrefois

位置を表す表現

🔈 B-55

ここ	ici	そこ、ここ	là	むこう	là-bas
上に	en haut	下に	en bas	真っ直ぐに	tout droit
右に	à droite	左に	à gauche	奥に	au fond

職業

🔈 B-56

学生	étudiant, étudiante	高校生	lycéen, lycéenne
教師	professeur (professeure)	教師	enseignant, enseignante
従業員	employé, employée	パン職人	boulanger, boulangère
菓子職人	pâtissier, pâtissière	料理人	cuisinier, cuisinière
ミュージシャン	musicien, musicienne	芸術家	artiste
歌手	chanteur, chanteuse	画家	peintre
作家	écrivain (écrivaine)	俳優	acteur, actrice
ジャーナリスト	journaliste	医師	médecin
看護師	infirmier, infirmière	販売員	vendeur, vendeuse
運転手	chauffeur	弁護士	avocat, avocate
エンジニア	ingénieur	工員	ouvrier, ouvrière

家族

🔈 B-57

家族	famille [女]	両親	parents [男複]	子	enfant [男]
父	père [男]	母	mère [女]	息子	fils [男]
娘	fille [女]	兄弟	frère [男]	姉妹	sœur [女]
祖父	grand-père [男]	祖母	grand-mère [女]	おじ	oncle [男]
おば	tante [女]	夫	mari [男]	妻	femme [女]

国（定冠詞付き）

🔈 B-58

日本	le Japon	フランス	la France	カナダ	le Canada
スイス	la Suisse	ベルギー	la Belgique	イタリア	l'Italie
ドイツ	l'Allemagne	イギリス	l'Angleterre	スペイン	l'Espagne
オランダ	les Pays-Bas	アメリカ合衆国	les États-Unis (d'Amérique)		
ロシア	la Russie	アルジェリア	l'Algérie	チュニジア	la Tunisie
中国	la Chine	韓国・朝鮮	la Corée	インド	l'Inde

言語（定冠詞付き） B-59

日本語	le japonais	フランス語	le français
英語	l'anglais	ドイツ語	l'allemand
イタリア語	l'italien	スペイン語	l'espagnol
ポルトガル語	le portugais	ロシア語	le russe
中国語	le chinois	韓国・朝鮮語	le coréen

色（形容詞） B-60

青い	bleu, bleue	白い	blanc, blanche	赤い	rouge
黒い	noir, noire	緑色の	vert, verte	黄色い	jaune
灰色の	gris, grise	ピンク色の	rose		
褐色の	brun, brune	ベージュ色の	beige		

さまざまな前置詞（句） B-61

～に、～へ、～で	à	～から、～の、～について	de
～のために	pour	～によって	par
～の家へ、～のところで	chez	～の方へ、～頃に	vers
～の中に、～後	dans	～と一緒に	avec
～（乗り物）で、（場所）～に、へ、で	en	～に対して	contre
～の上に	sur	～の下に	sous
～の前に（場所）	devant	～の後ろに	derrière
～の前に（時間）	avant	～のあとに	après
～の向かいに	en face de	～の横に	à côté de
～の左に	à gauche de	～の右に	à droite de
～の近くに	près de	～から遠くに	loin de

移動の手段（en+無冠詞名詞、ただし2輪車や歩行の場合はà+無冠詞名詞） B-62

自動車	voiture 女	自動車で	en voiture		
タクシー	taxi 男	バス	bus 男	地下鉄	métro 男
電車	train 男	飛行機	avion 男	船	bateau 男
バイク	moto 女	自転車	vélo 男	自転車で	à vélo
徒歩で	à pied				

形容詞 ★は通常、名詞の前に置かれる形容詞。(　)は男性第2形

B-63

大きな	grand, grande★	小さな	petit, petite★
よい、おいしい	bon, bonne★	悪い、まずい	mauvais, mauvaise★
古い、年老いた	vieux (vieil), vieille★	高齢の	âgé, âgée
新しい	nouveau (nouvel), nouvelle★	若い	jeune★
きれいな	joli, jolie★	美しい	beau (bel), belle★
高価な、愛しい	cher, chère	可愛い	mignon, mignonne
太った	gros, grosse★	細い	mince
長い	long, longue★(後の場合もあり)	短い	court, courte
高い	haut, haute★(後の場合もあり)	低い	bas, basse
重い	lourd, lourde	軽い	léger, légère
簡単な	facile	難しい	difficile
速い	rapide	遅い	lent, lente
自由な、暇な	libre	ふさがっている	occupé, occupée
真実の	vrai, vraie	嘘の、偽の	faux, fausse
興味深い	intéressant, intéressante	おかしい、滑稽な	drôle
楽しい	amusant, amusante	機嫌のいい	joyeux, joyeuse
幸せな	heureux, heureuse	不幸な	malheureux, malheureuse
うれしい	content, contente	悲しい	triste
強い	fort, forte	弱い	faible
生き生きとした	vif, vive	疲れた	fatigué, fatiguée
陽気な	gai, gaie	内気な	timide
異なった	différent, différente	同様の	pareil, pareille
真面目な	sérieux, sérieuse	怠惰な	paresseux, paresseuse
心地よい	confortable	快い	agréable
感じのいい	sympathique	変な	bizarre
甘い	sucré, sucrée	塩辛い	salé, salée
まろやかな、穏やかな	doux, douce	爽やかな	frais, fraîche
暑い、熱い	chaud, chaude	寒い、冷たい	froid, froide

否定表現

B-64

何も〜ない ne ... rien
Je **ne fais rien** aujourd'hui.
今日は何もしない。

誰も〜ない ne ... personne
Il **n'**y a **personne** dans la rue.
通りには誰もいない。

もう〜ない ne ... plus
Elle **ne** peut **plus** venir.
彼女はもう来ることはできない。

決して〜ない ne ... jamais
Luc **ne** prend **jamais** d'alcool.
リュックは決してアルコールを飲まない。

まだ〜ない ne ... pas encore
Le dîner **n'**est **pas encore** prêt.
夕食はまだ準備できていない。

〜しかない ne ... que
Il **ne** reste **qu'**une pomme.
リンゴは1個しか残っていない。

食

B-65

食事	repas 男	**朝食**	petit déjeuner 男	**昼食**	déjeuner 男
夕食	dîner 男	**料理**	plat 男	**デザート**	dessert 男
飲み物	boisson 女	**パン**	pain 男	**チーズ**	fromage 男
バゲット	baguette 女	**クロワッサン**	croissant 男		
サンドウィッチ	sandwich 男	**サラダ**	salade 女		
スープ	soupe 女	**卵**	œuf 男	**肉**	viande 女
魚	poisson 男	**ハム**	jambon 男	**コメ**	riz 男
野菜	légume 男	**フルーツ**	fruit 男	**麺**	nouilles 女複
菓子	gâteau 男	**アイスクリーム**	glace 女		
塩	sel 男	**砂糖**	sucre 男	**こしょう**	poivre 男
バター	beurre 男	**ジャム**	confiture 女		
コーヒー	café 男	**茶**	thé 男	**ミルク**	lait 男
ココア	chocolat chaud 男	**アルコール飲料**	alcool 男		
ワイン	vin 男	**ビール**	bière 女	**ジュース**	jus 男
水	eau 女				

施設・建物

B-66

大学	université 女	高校	lycée 男
中学	collège 男	学校	école 女
教室	salle de classe 女	図書館	bibliothèque 女
銀行	banque 女	事務所・会社	bureau 男
郵便局	bureau de poste 男 poste 女		
病院	hôpital 男	ホテル	hôtel 男
駅	gare 女	地下鉄の駅	station 女
空港	aéroport 男	バス停	arrêt de bus 男
オペラ座	opéra 男	劇場	théâtre 男
映画館	cinéma 男	美術館	musée 男
教会	église 女	大聖堂	cathédrale 女
店	magasin 男	店	boutique 女
市場	marché 男	スーパー	supermarché 男
パン屋	boulangerie 女	製菓店	pâtisserie 女
カフェ	café 男	レストラン	restaurant 男
書店	librairie 女	薬局	pharmacie 女
家	maison 女	アパルトマン	appartement 男
寝室	chambre 女	キッチン	cuisine 女
部屋	salle 女	浴室	salle de bain 女
トイレ	toilettes 女複		

体のパーツ

B-67

頭	tête 女	片方の目	œil 男	両目	yeux 男複
鼻	nez 男	口	bouche 女	両耳	oreilles 女複
歯	dent 女	喉	gorge 女	首	cou 男
背中	dos 男	心臓	cœur 男	胃	estomac 男
腹	ventre 男	腕	bras 男	手	main 女
脚	jambe 女	足	pied 男	指	doigt 男

索引

文法・発音関連索引

ア行

カ行

サ行

タ行

ナ行

ハ行

マ行

ヤ行

ラ行

その他

索引

フランス語索引

索引

S

T

U

V

Y

著者
大塚 陽子 おおつか・ようこ

白百合女子大学文学部フランス語フランス文学科准教授。リヨン第2大学修士号（言語学）取得、白百合女子大学文学研究科博士課程単位取得満期退学。専門はフランス語学、フランス語教育。2020年度のNHKラジオ講座「まいにちフランス語入門編 マナと暮らすカンパーニュ」の講師を担当。著書に『プティ・シュマン』（白水社）、『文法力で聞きわけるフランス語徹底トレーニング』、『やさしくはじめるフランス語リスニング』（共著、白水社）がある。

ブックデザイン	hotz design inc.
イラスト	コナガイ香
DTP	明昌堂
フランス語校閲	クリスティーヌ・ロバン＝佐藤
校正	堀越章代、円水社
編集協力	安倍まり子
音声吹き込み	クリスティーヌ・ロバン＝佐藤、ロドルフ・ブルジョワ
録音	NHK出版 宇田川スタジオ、山田智子

NHK出版　音声DL BOOK
これからはじめる フランス語入門

2021年9月20日　第1刷発行

著　　者	大塚 陽子 ©2021 Otsuka Yoko
発 行 者	土井 成紀
発 行 所	NHK出版 〒150-8081 東京都渋谷区宇田川町41-1 電話　0570-009-321(問い合わせ) 　　　0570-000-321(注文) ホームページ https://www.nhk-book.co.jp 振替　00110-1-49701
印刷・製本	光邦

落丁・乱丁本はお取り替えいたします。定価はカバーに表示してあります。
本書の無断複写（コピー、スキャン、デジタル化など）は、著作権法上の例外を除き、著作権侵害となります。
ISBN 978-4-14-035170-3　C0085
Printed in Japan